The Ukulele playlist

Red book

First published by Faber Music Ltd in 2010
Bloomsbury House 74–77 Great Russell Street London WC1B 3DA

Arranged by Alex Davis
Edited by Lucy Holliday

Designed by Lydia Merrills-Ashcroft
Photography by Ben Turner

Special thanks to Alex & Helen, Caroline, David, Eleanor, Hannah, Henry, Janella & Rachel.

Printed in England by Caligraving Ltd

The text paper used in this publication is a virgin fibre product that is manufactured in the UK to ISO 14001 standards. The wood fibre used is only sourced from managed forests using sustainable forestry principles. This paper is 100% recyclable

ISBN10: 0-571-53390-6
EAN13: 978-0-571-53390-9

To buy Faber Music publications or to find out about the full range of titles available, please contact your local music retailer or Faber Music sales enquiries:

Faber Music Ltd, Burnt Mill, Elizabeth Way,
Harlow, CM20 2HX England
Tel: +44(0)1279 82 89 82
Fax: +44(0)1279 82 89 83
sales@fabermusic.com fabermusic.com

matthew weston

Tuning

The standard Ukulele string tuning is G–C–E–A, shown here on the treble stave and piano keyboard. Note that the G string is tuned higher than the C string.

You can tune your Ukulele using a piano or keyboard (or any other instrument that you know is in tune!) or by using an electronic chromatic tuner.

If just one string on your Ukulele is in tune then you can use it to tune the other strings as well.

This diagram shows which fretted notes match the note of the open string above. Eg. Pluck the first string at the 5th fret and match the note to the second open string, and so on.

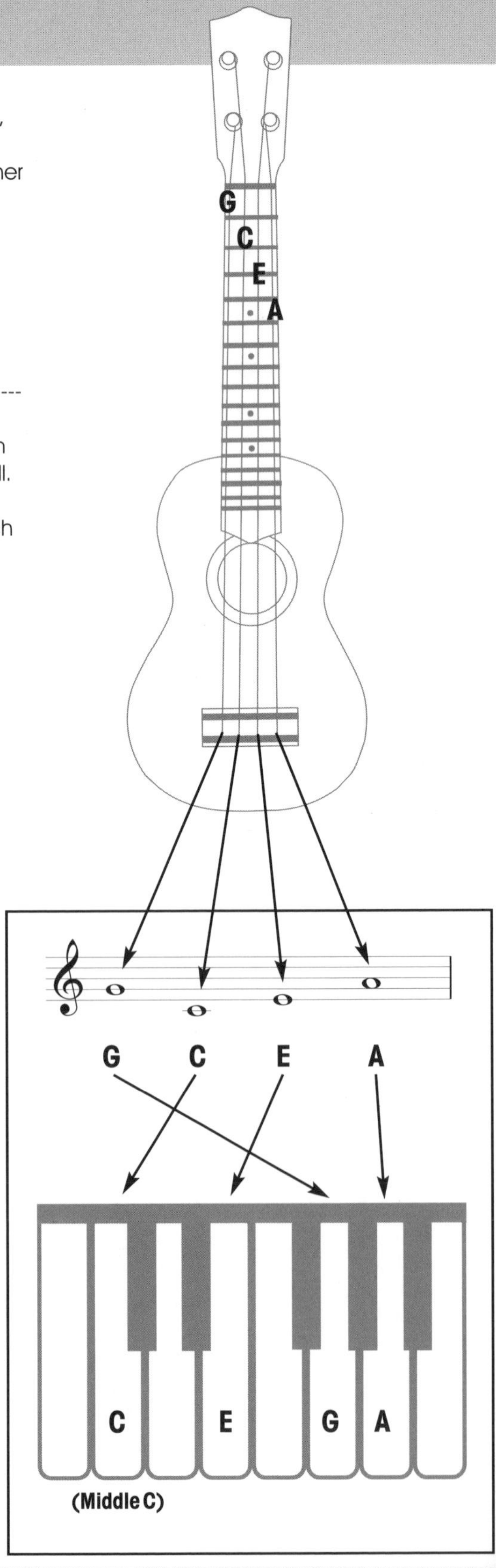

G
C
E
A
G C E A
C
E
G
A
(Middle C)

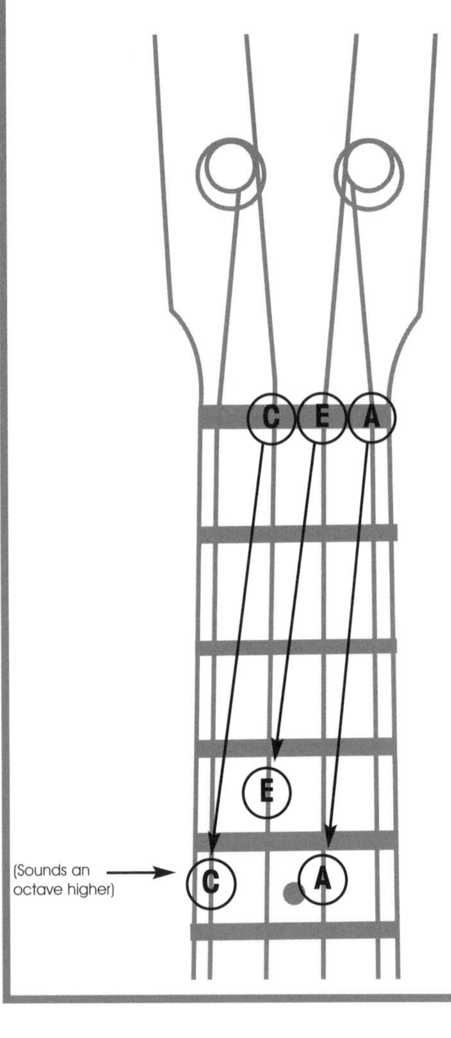

C
E
A
E
C
A
(Sounds an octave higher)

Reading Chord Boxes

A chord box is basically a diagram of how a chord is played on the neck of the Ukulele. It shows you which string to play, where to put your fingers and whereabouts on the neck the chord is played.

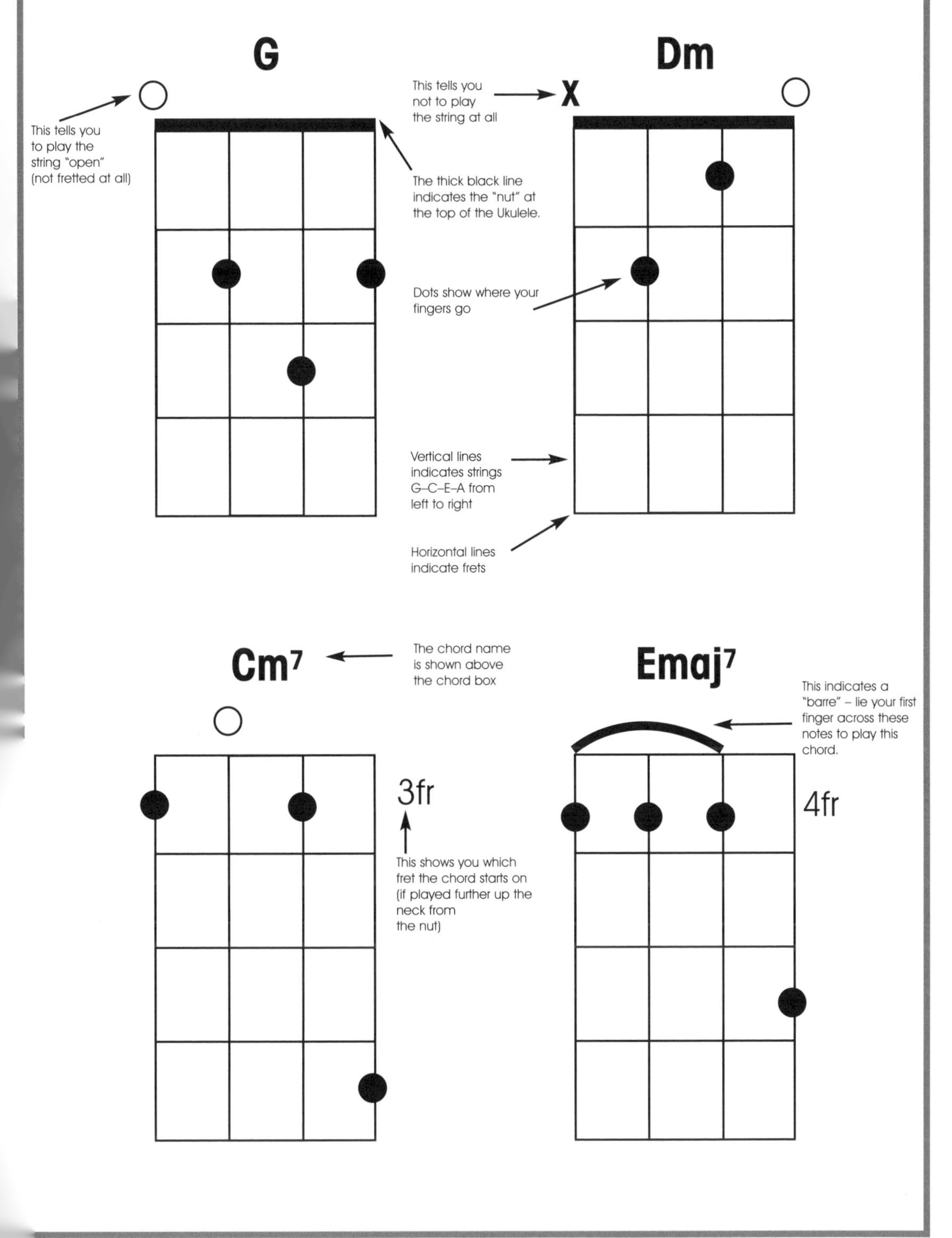

G
This tells you to play the string "open" (not fretted at all)
Dm
This tells you not to play the string at all
X
The thick black line indicates the "nut" at the top of the Ukulele.
Dots show where your fingers go
Vertical lines indicates strings G–C–E–A from left to right
Horizontal lines indicate frets
Cm7
The chord name is shown above the chord box
Emaj7
This indicates a "barre" – lie your first finger across these notes to play this chord.
3fr
This shows you which fret the chord starts on (if played further up the neck from the nut)
4fr

AMERICAN IDIOT

Words and Music by Billie Joe Armstrong,
Michael Pritchard and Frank E. Wright III

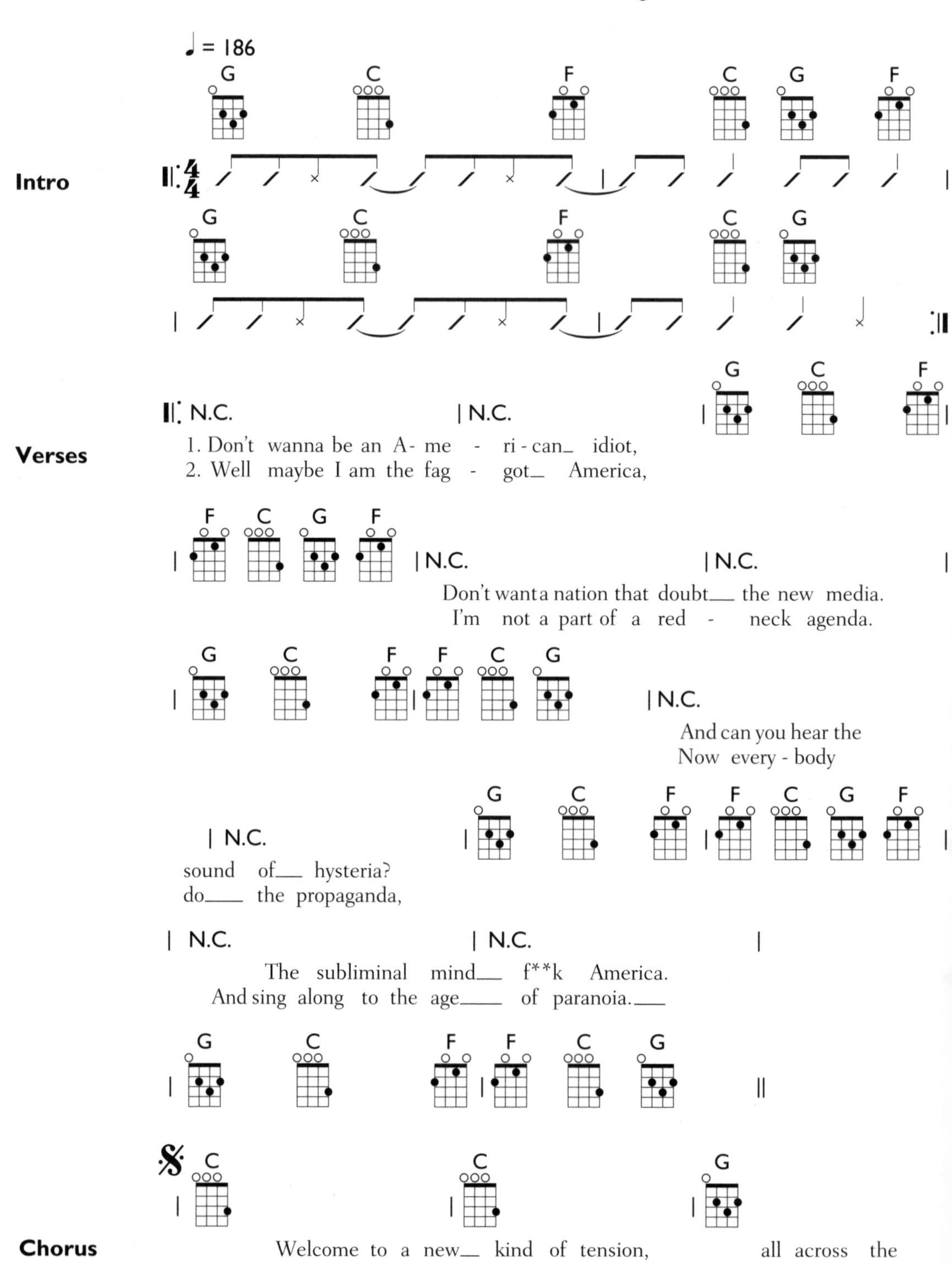
♩ = 186
Intro
G C F C G F
G C F C G
Verses
N.C. N.C. G C F
1. Don't wanna be an A- me - ri - can idiot,
2. Well maybe I am the fag - got America,
F C G F N.C. N.C.
Don't want a nation that doubt the new media.
I'm not a part of a red - neck agenda.
G C F F C G N.C.
And can you hear the
Now every - body
N.C. G C F F C G F
sound of hysteria?
do the propaganda,
N.C. N.C.
The subliminal mind f**k America.
And sing along to the age of paranoia.
G C F F C G
C C G
Chorus
Welcome to a new kind of tension, all across the

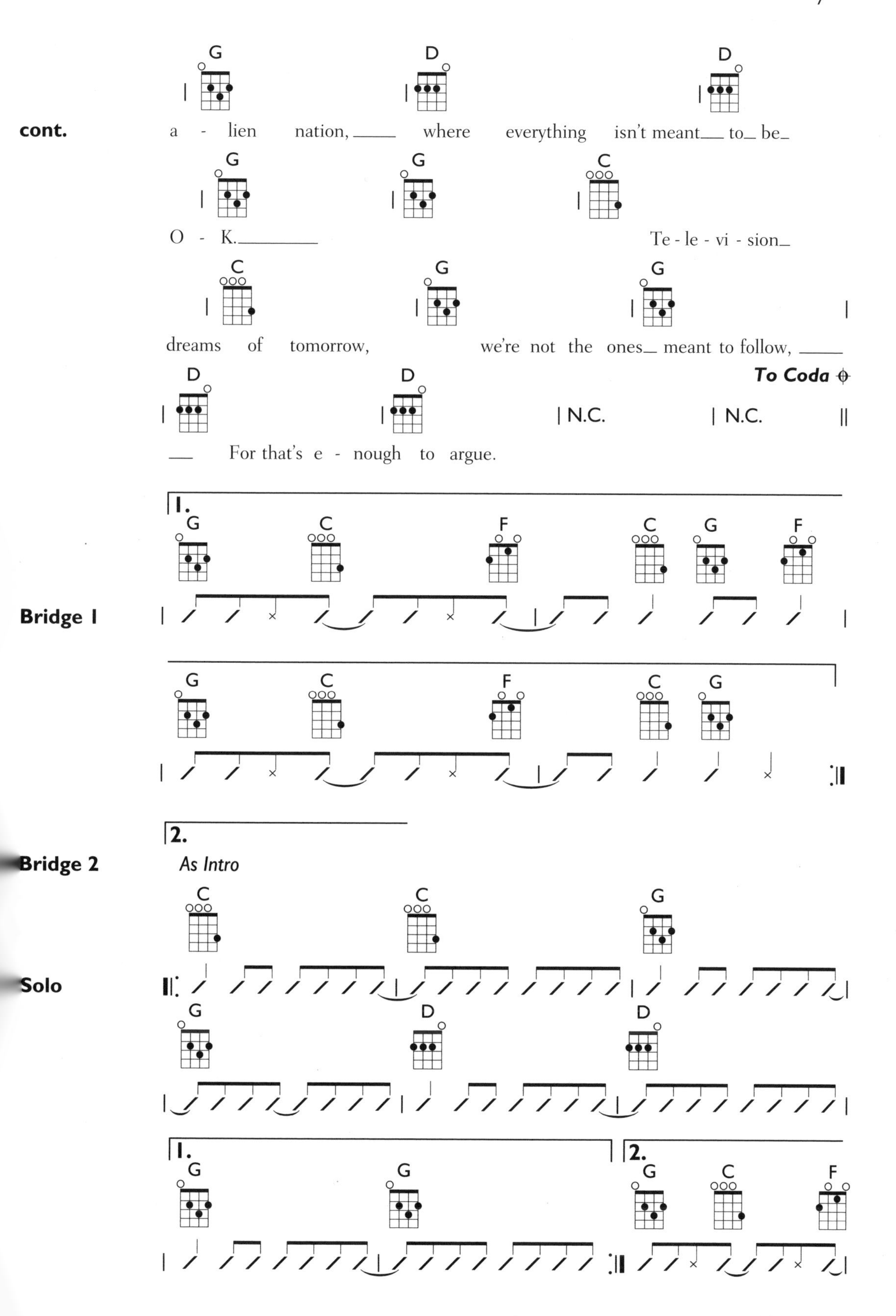
cont.
G D D
a - lien nation, where everything isn't meant to be
G G C
O - K. Te - le - vi - sion
C G G
dreams of tomorrow, we're not the ones meant to follow,
D D N.C. N.C.
To Coda
For that's e - nough to argue.
Bridge 1
1.
G C F C G F
G C F C G
Bridge 2
2.
As Intro
Solo
C C G
G D D
1.
G G
2.
G C F

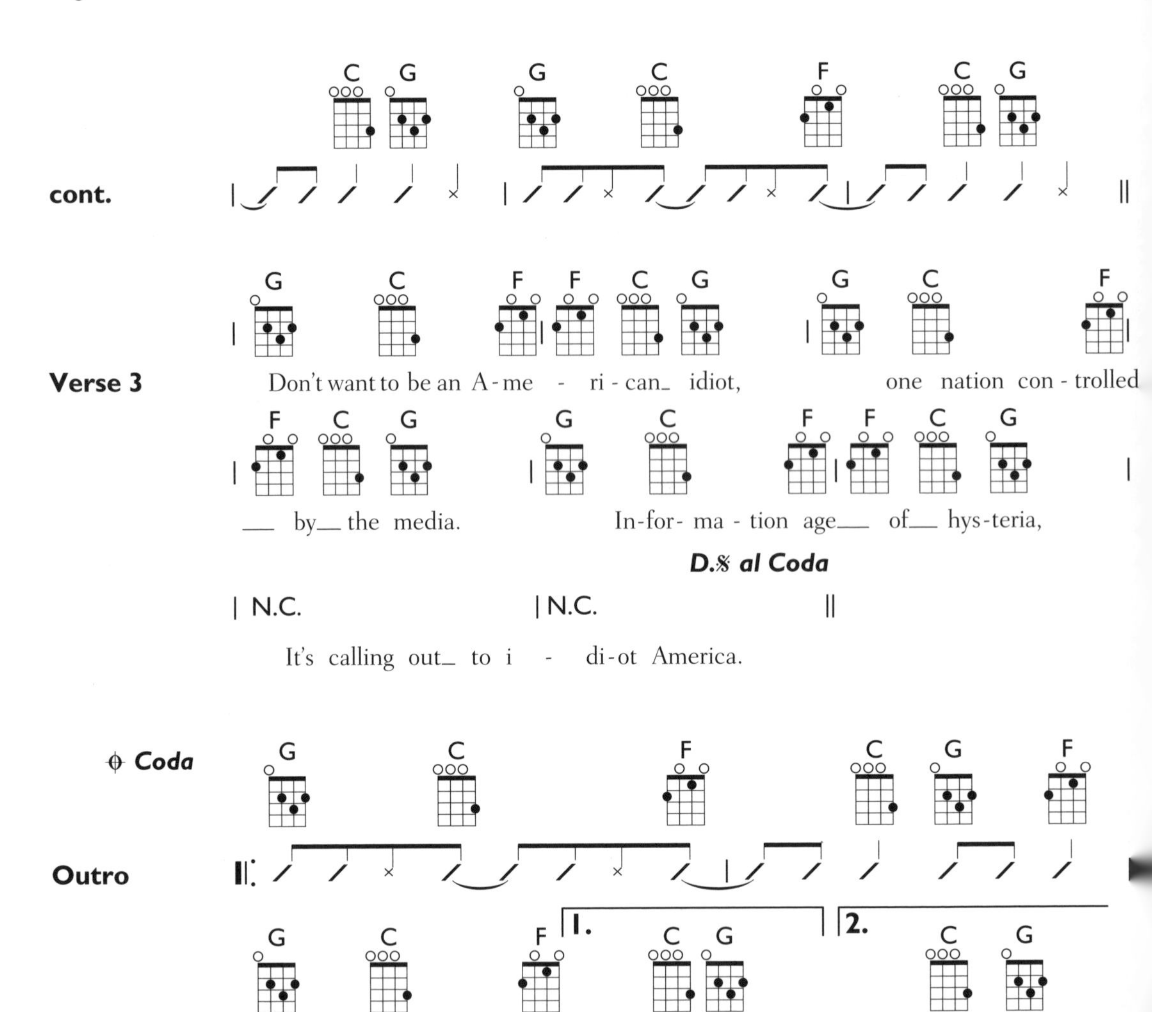
cont.
C G G C F C G
Verse 3
G C F F C G G C F
Don't want to be an A-me - ri-can idiot, one nation con-trolled
F C G G C F F C G
by the media. In-for-ma-tion age of hys-teria,
D.𝄋 al Coda
N.C. N.C.
It's calling out to i - di-ot America.
Coda
Outro
G C F C G F
G C F 1. C G 2. C G

BACK IN BLACK

Words and Music by Brian Johnson,
Angus Young and Malcolm Young

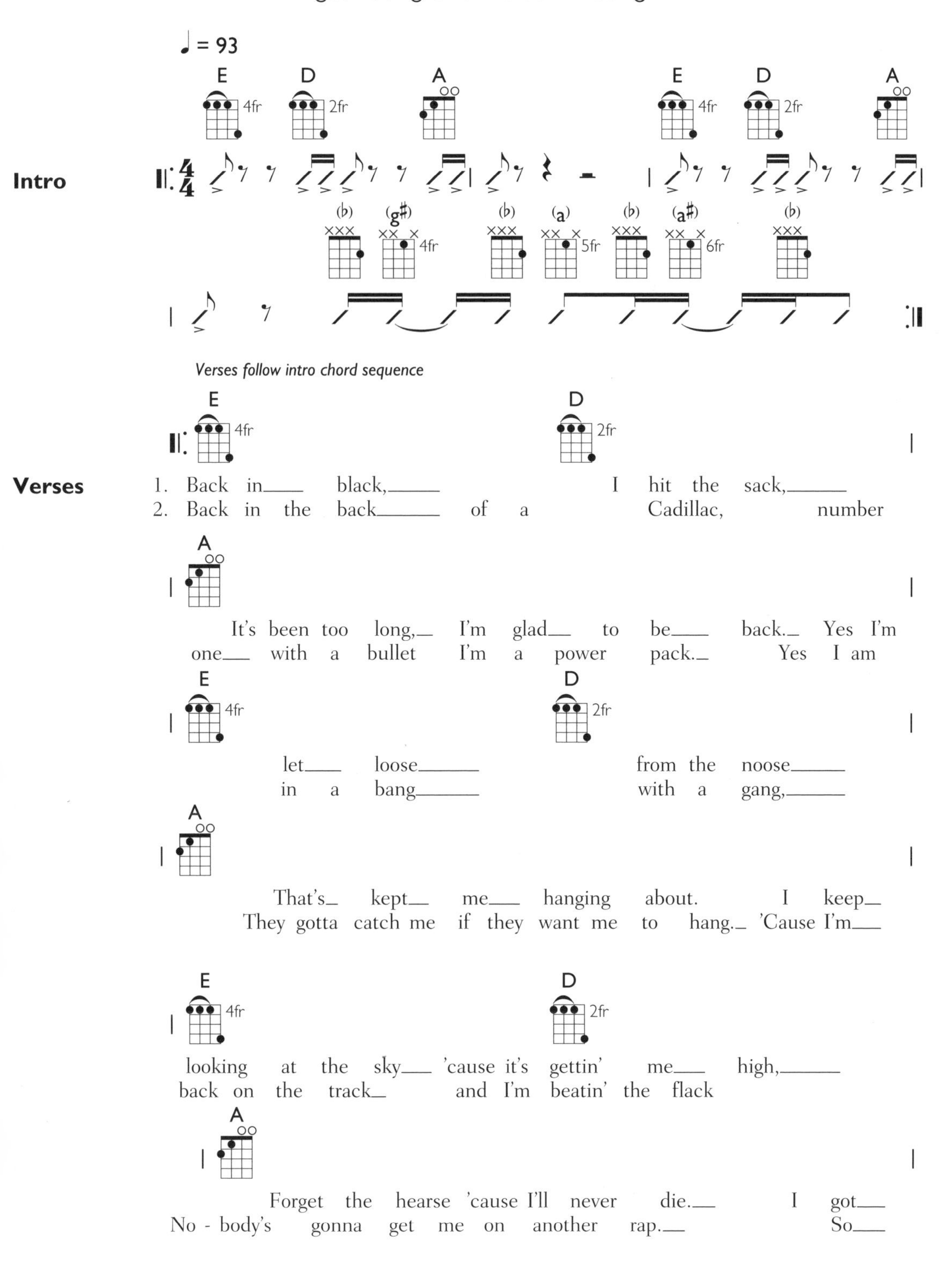
♩ = 93
E
D
A
4fr
2fr
Intro
(b)
(g♯)
(a)
(a♯)
5fr
6fr
Verses follow intro chord sequence
Verses
1. Back in black, I hit the sack,
2. Back in the back of a Cadillac, number
It's been too long, I'm glad to be back. Yes I'm
one with a bullet I'm a power pack. Yes I am
let loose from the noose
in a bang with a gang,
That's kept me hanging about. I keep
They gotta catch me if they want me to hang. 'Cause I'm
looking at the sky 'cause it's gettin' me high,
back on the track and I'm beatin' the flack
Forget the hearse 'cause I'll never die. I got
No - body's gonna get me on another rap. So

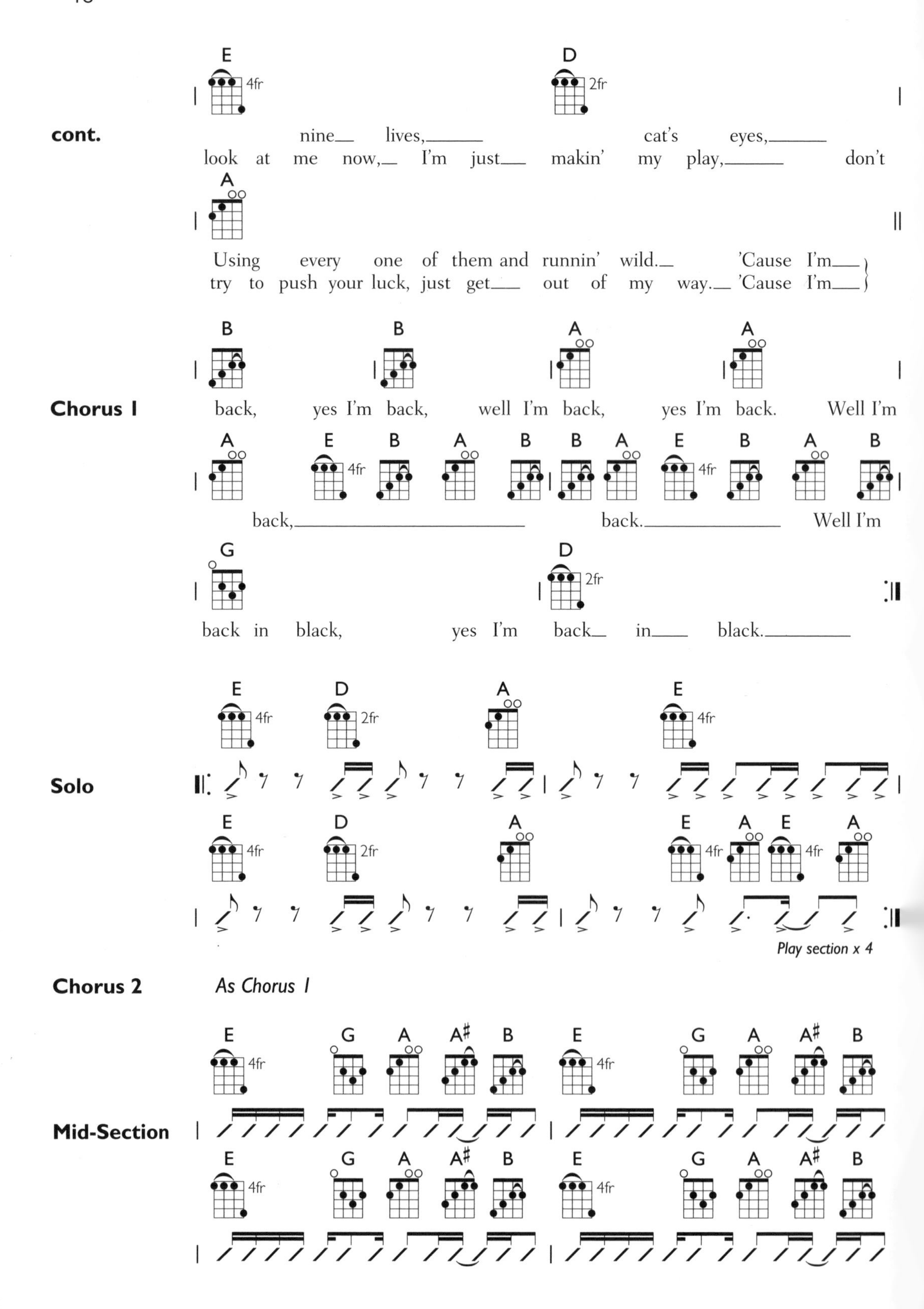
cont.
E 4fr
D 2fr
nine lives, cat's eyes,
look at me now, I'm just makin' my play, don't
A
Using every one of them and runnin' wild. 'Cause I'm
try to push your luck, just get out of my way. 'Cause I'm
Chorus 1
B B A A
back, yes I'm back, well I'm back, yes I'm back. Well I'm
A E B A B B A E B A B
back, back. Well I'm
G D
back in black, yes I'm back in black.
Solo
E D A E
E D A E A E A
Play section x 4
Chorus 2
As Chorus 1
Mid-Section
E G A A♯ B E G A A♯ B
E G A A♯ B E G A A♯ B

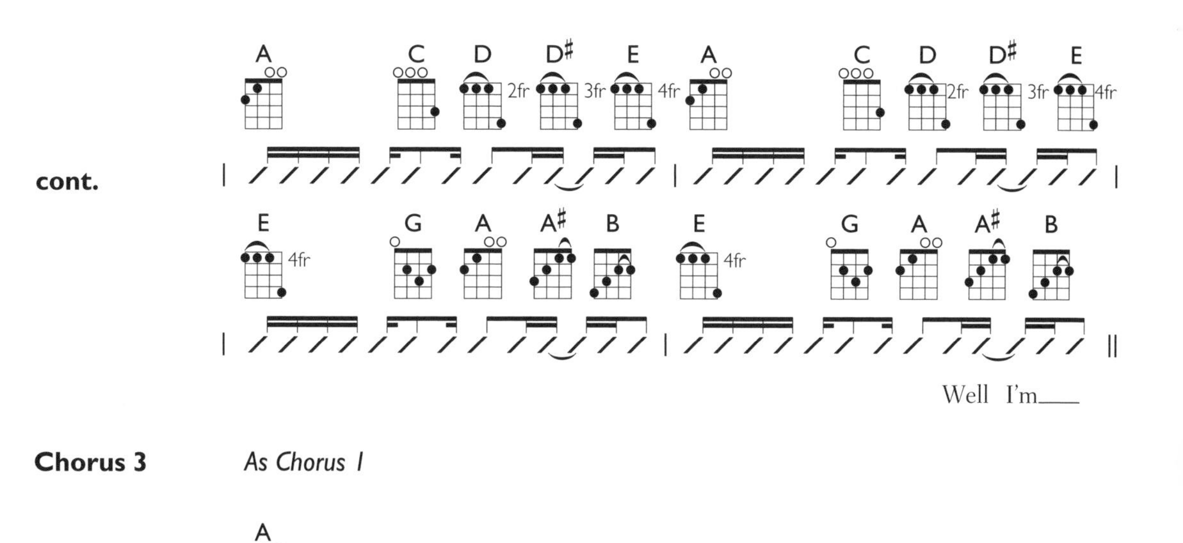
cont.
A C D D♯ E A C D D♯ E
2fr 3fr 4fr 2fr 3fr 4fr
E G A A♯ B E G A A♯ B
4fr 4fr
Well I'm

Chorus 3 *As Chorus 1*

A

Bridge

Out-ta sight!

Outro *As Solo - fade out*

CALL ME

Words and Music by Deborah Harry and Giorgio Moroder

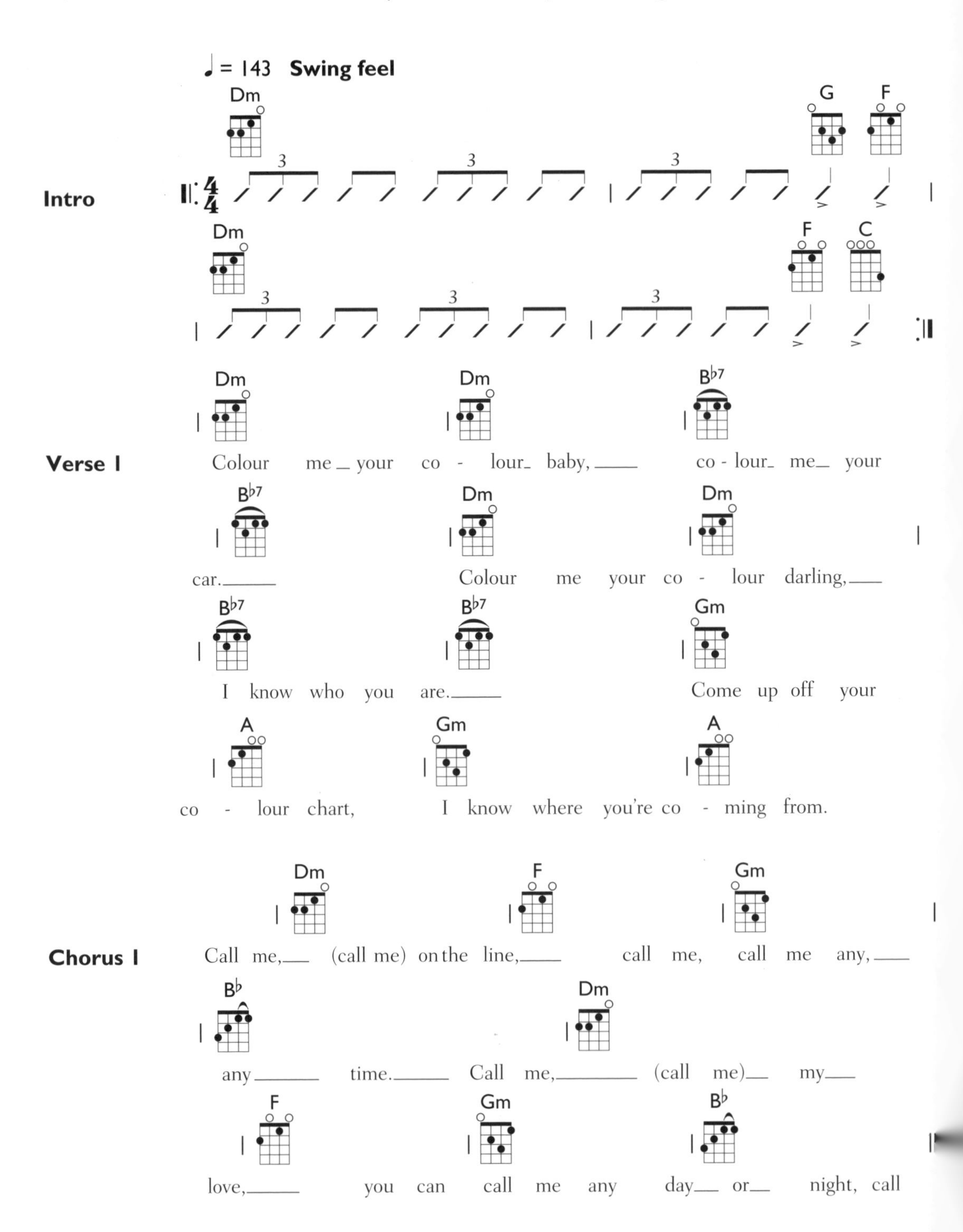
♩ = 143 Swing feel
Intro
Dm
G F
Dm
F C
Verse 1
Dm Dm B♭7
Colour me your co - lour baby, co - lour me your
B♭7 Dm Dm
car. Colour me your co - lour darling,
B♭7 B♭7 Gm
I know who you are. Come up off your
A Gm A
co - lour chart, I know where you're co - ming from.
Chorus 1
Dm F Gm
Call me, (call me) on the line, call me, call me any,
B♭ Dm
any time. Call me, (call me) my
F Gm B♭
love, you can call me any day or night, call

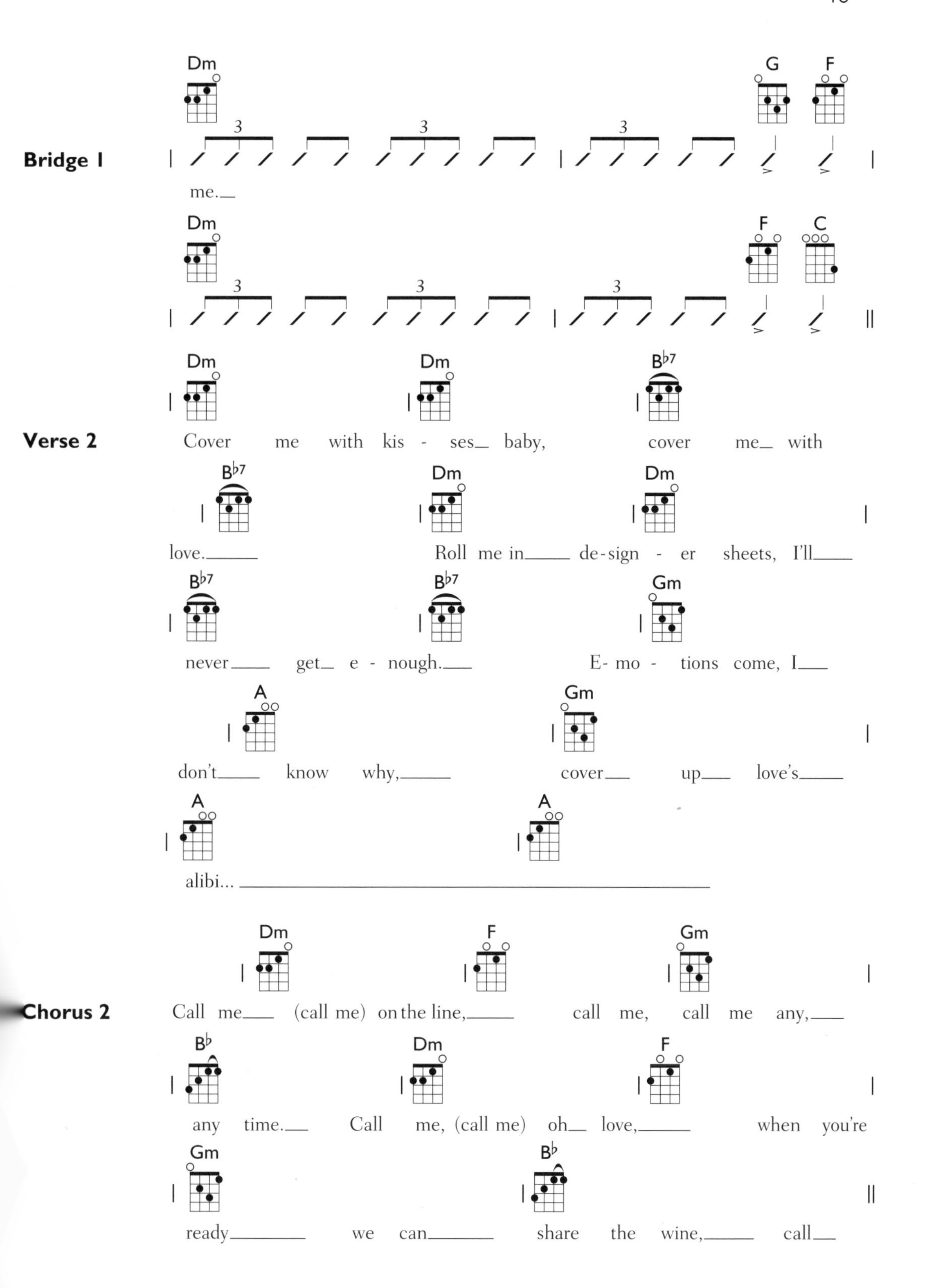
Dm
G
F
3
Bridge 1
me.
Dm
F
C
Dm
Dm
B♭7
Verse 2
Cover me with kis - ses baby, cover me with
B♭7
Dm
Dm
love. Roll me in de-sign - er sheets, I'll
B♭7
B♭7
Gm
never get e - nough. E- mo - tions come, I
A
Gm
don't know why, cover up love's
A
A
alibi...
Dm
F
Gm
Chorus 2
Call me (call me) on the line, call me, call me any,
B♭
Dm
F
any time. Call me, (call me) oh love, when you're
Gm
B♭
ready we can share the wine, call

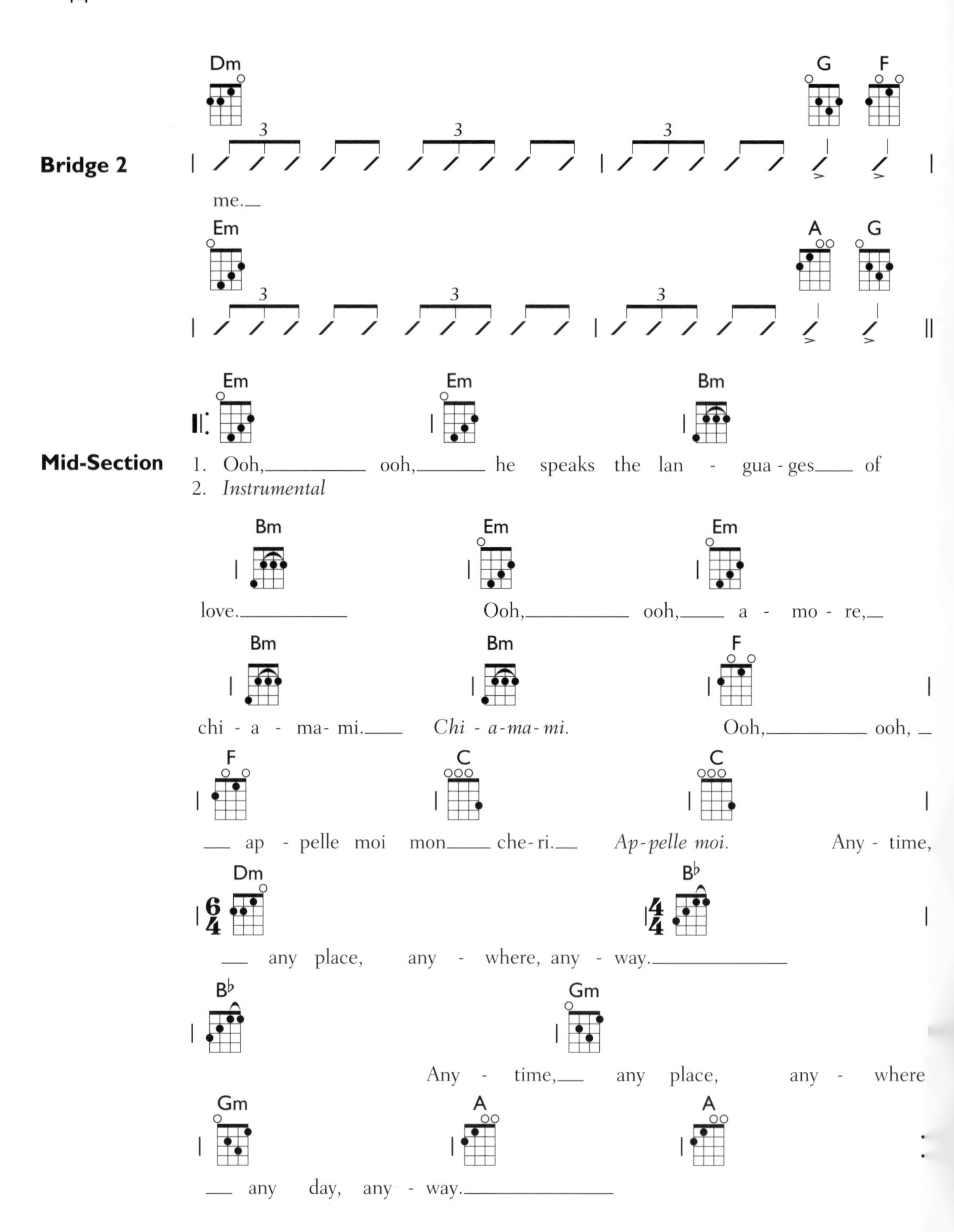
Bridge 2
Dm G F
me.
Em A G
Em Em Bm
Mid-Section
1. Ooh, ooh, he speaks the lan - gua - ges of
2. Instrumental
Bm Em Em
love. Ooh, ooh, a - mo - re,
Bm Bm F
chi - a - ma- mi. Chi - a-ma-mi. Ooh, ooh,
F C C
ap - pelle moi mon che-ri. Ap-pelle moi. Any - time,
Dm B♭
any place, any - where, any - way.
B♭ Gm
Any - time, any place, any - where
Gm A A
any day, any - way.

Outro

Dm | F | Gm | B♭

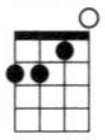

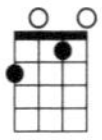

1. Call me___ (call me)_ my love,______ call__ me,__ call__ me__ any,___ any - time.______ Call__
2. me__ (call me)_ for a ride,______ call__ me,__ call__ me__ for___ some_ over - time.______ Call__
3. me__ (call me)_ my love,______ call__ me,__ call__ me__ in a____ sweet de - sign.______ Call__
4. me__ (call me)_ call__ me__ for your_____ lover's,________ lover's ________ alibi.__________________ Call__
5. me__ (call me)_ on the line,______ call__ me,__ call__ me__ any,______ any - time.______ Call...

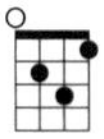

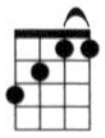

Play section x 5 then ad-lib. and repeat to fade

CANDY

Words and Music by Paolo Nutini

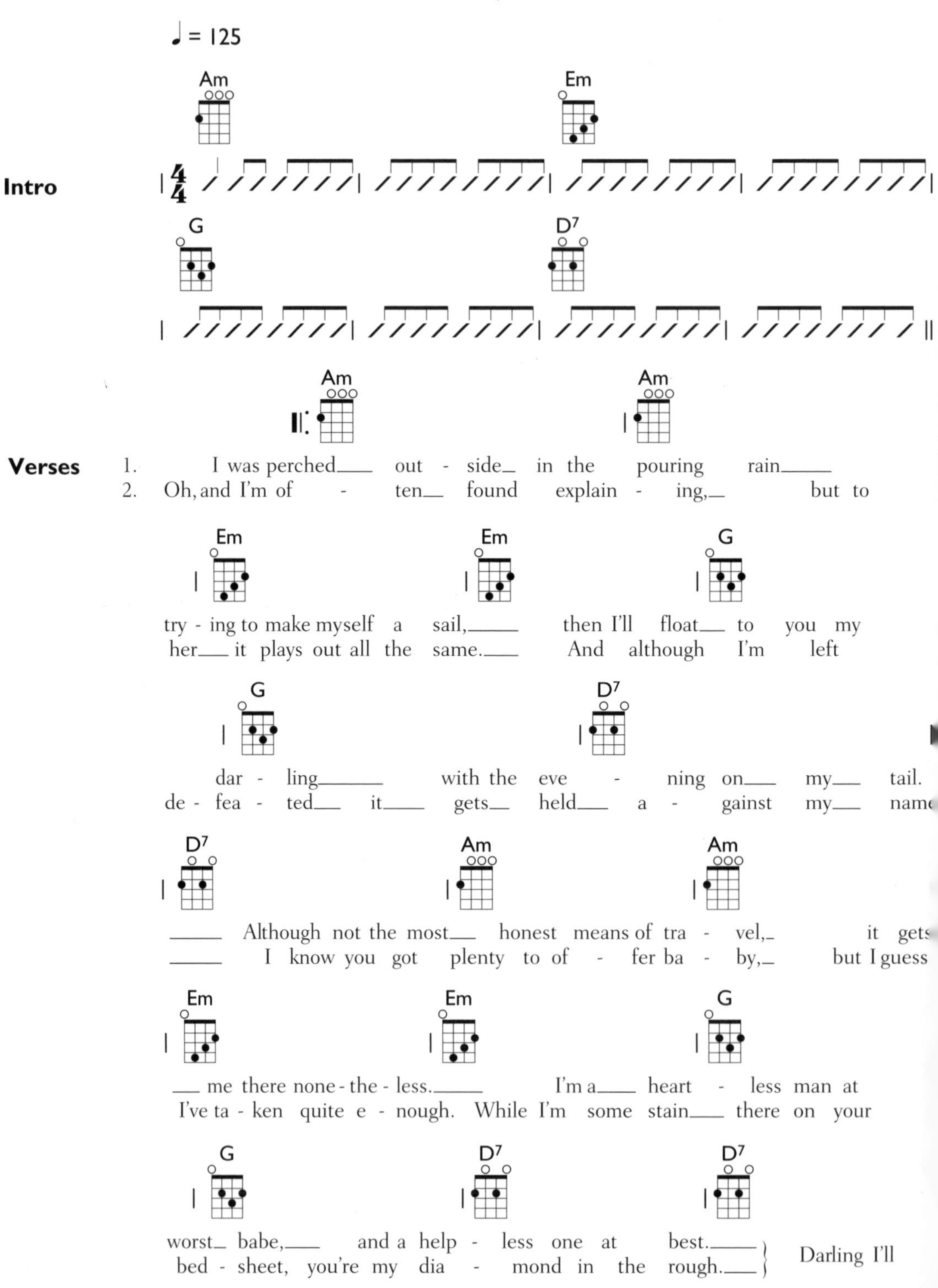

♩ = 125
Am
Em
Intro
G
D7
Verses
1. I was perched out - side in the pouring rain
2. Oh, and I'm of - ten found explain - ing, but to
try - ing to make myself a sail, then I'll float to you my
her it plays out all the same. And although I'm left
dar - ling with the eve - ning on my tail.
de - fea - ted it gets held a - gainst my name
Although not the most honest means of tra - vel, it gets
I know you got plenty to of - fer ba - by, but I guess
me there none - the - less. I'm a heart - less man at
I've ta - ken quite e - nough. While I'm some stain there on your
worst babe, and a help - less one at best.
bed - sheet, you're my dia - mond in the rough.
Darling I'll

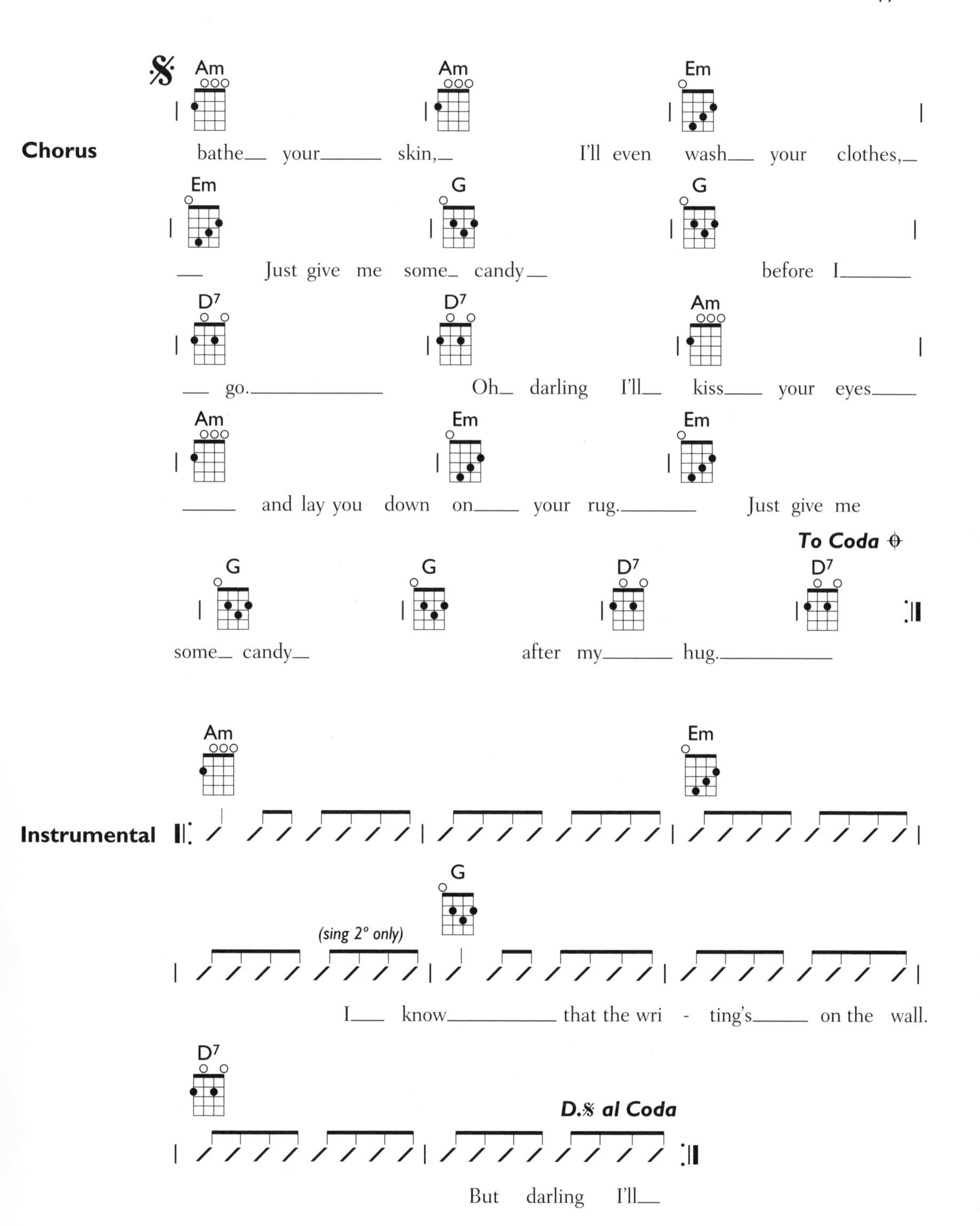
Chorus
Am Am Em
bathe your skin, I'll even wash your clothes,
Em G G
Just give me some candy before I
D7 D7 Am
go. Oh darling I'll kiss your eyes
Am Em Em
and lay you down on your rug. Just give me
To Coda
G G D7 D7
some candy after my hug.
Instrumental
Am Em
G
(sing 2° only)
I know that the wri - ting's on the wall.
D7
D.% al Coda
But darling I'll

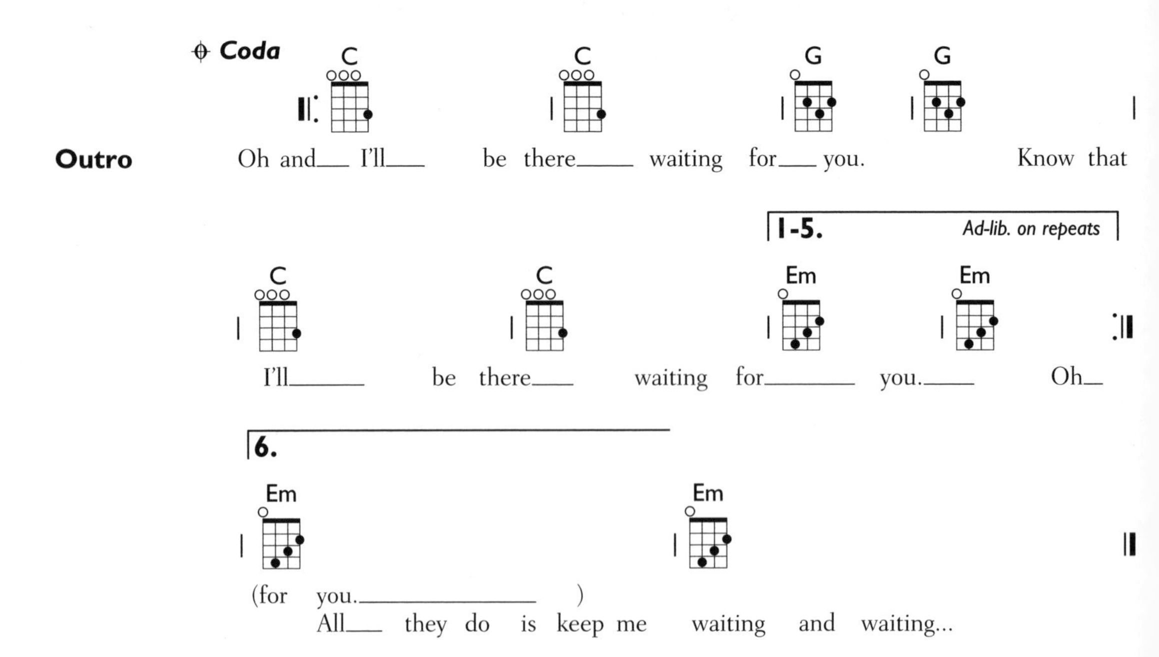
Coda
C
C
G
G
Outro
Oh and___ I'll___ be there___ waiting for___ you. Know that
1-5.
Ad-lib. on repeats
C
C
Em
Em
I'll___ be there___ waiting for___ you.___ Oh__
6.
Em
Em
(for you.___)
All___ they do is keep me waiting and waiting...

DON'T STOP ME NOW

Words and Music by Freddie Mercury

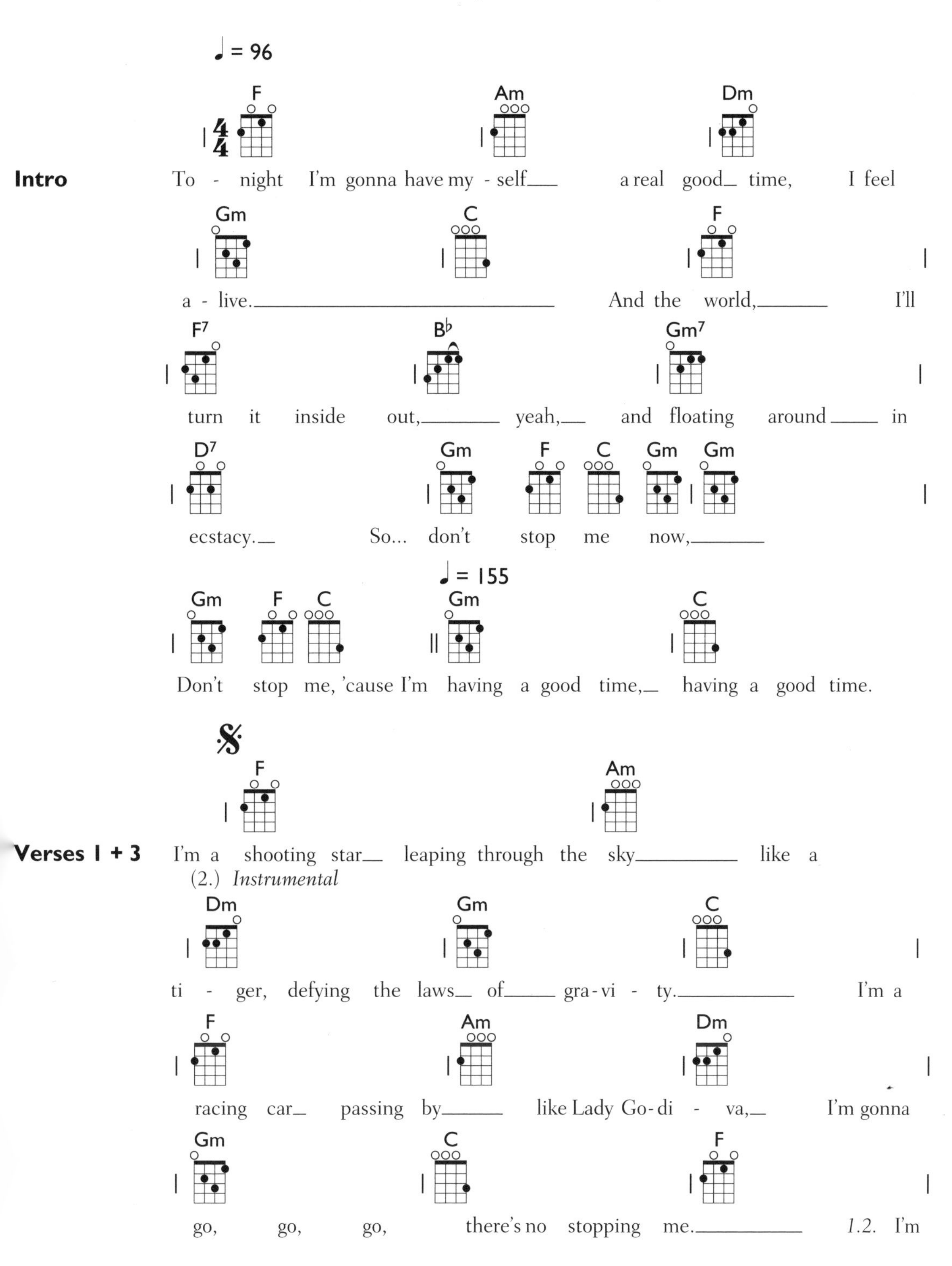
♩ = 96
F Am Dm
Intro
To - night I'm gonna have my - self a real good time, I feel
Gm C F
a - live. And the world, I'll
F7 B♭ Gm7
turn it inside out, yeah, and floating around in
D7 Gm F C Gm Gm
ecstacy. So... don't stop me now,
♩ = 155
Gm F C Gm C
Don't stop me, 'cause I'm having a good time, having a good time.
F Am
Verses 1 + 3
I'm a shooting star leaping through the sky like a
(2.) *Instrumental*
Dm Gm C
ti - ger, defying the laws of gra - vi - ty. I'm a
F Am Dm
racing car passing by like Lady Go - di - va, I'm gonna
Gm C F
go, go, go, there's no stopping me. *1.2.* I'm

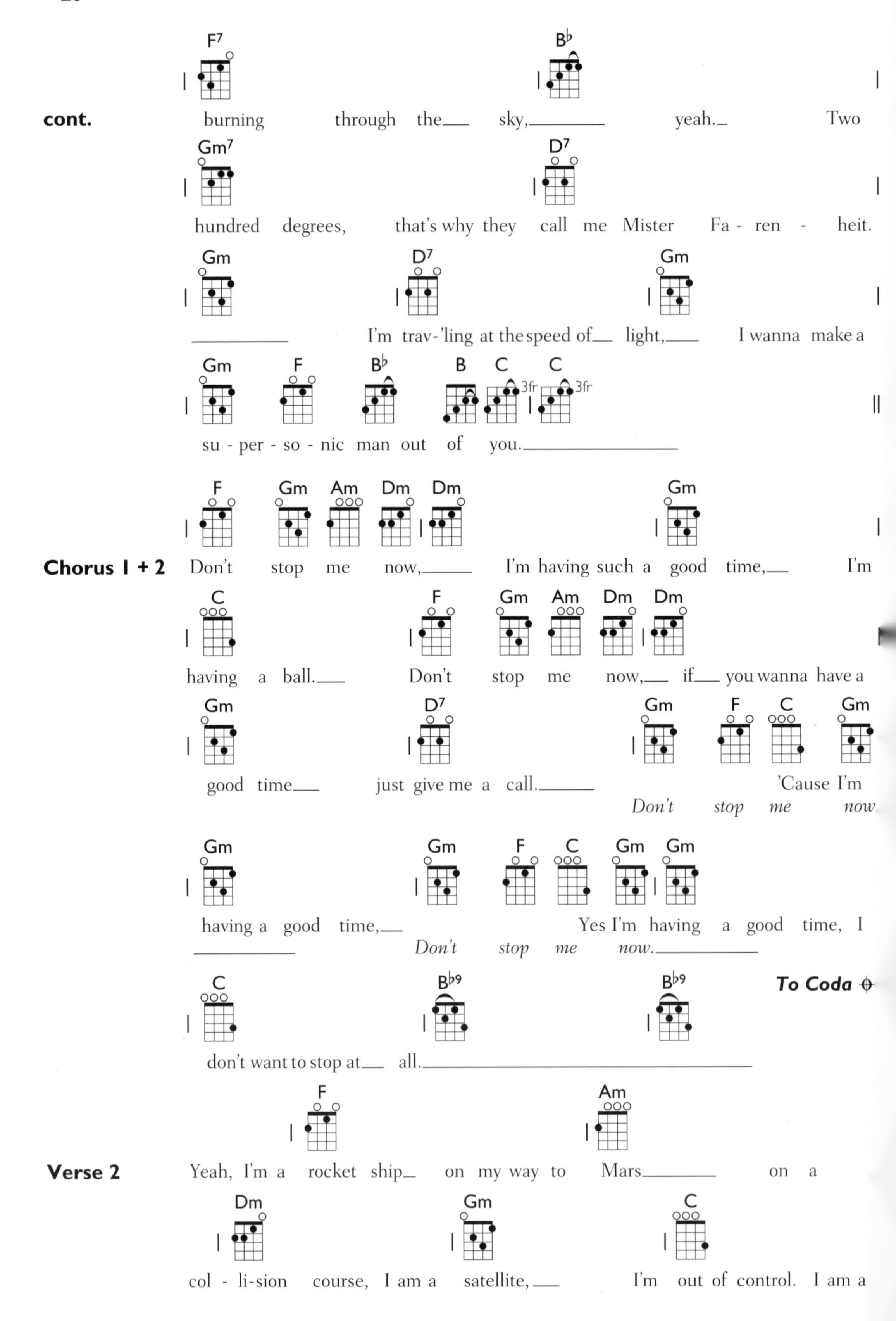
cont.
F7 Bb
burning through the sky, yeah. Two
Gm7 D7
hundred degrees, that's why they call me Mister Fa - ren - heit.
Gm D7 Gm
I'm trav-'ling at the speed of light, I wanna make a
Gm F Bb B C C 3fr 3fr
su - per - so - nic man out of you.
Chorus 1 + 2
F Gm Am Dm Dm Gm
Don't stop me now, I'm having such a good time, I'm
C F Gm Am Dm Dm
having a ball. Don't stop me now, if you wanna have a
Gm D7 Gm F C Gm
good time just give me a call. 'Cause I'm
Don't stop me now.
Gm Gm F C Gm Gm
having a good time, Yes I'm having a good time, I
Don't stop me now.
C Bb9 Bb9
To Coda
don't want to stop at all.
Verse 2
F Am
Yeah, I'm a rocket ship on my way to Mars on a
Dm Gm C
col - li-sion course, I am a satellite, I'm out of control. I am a

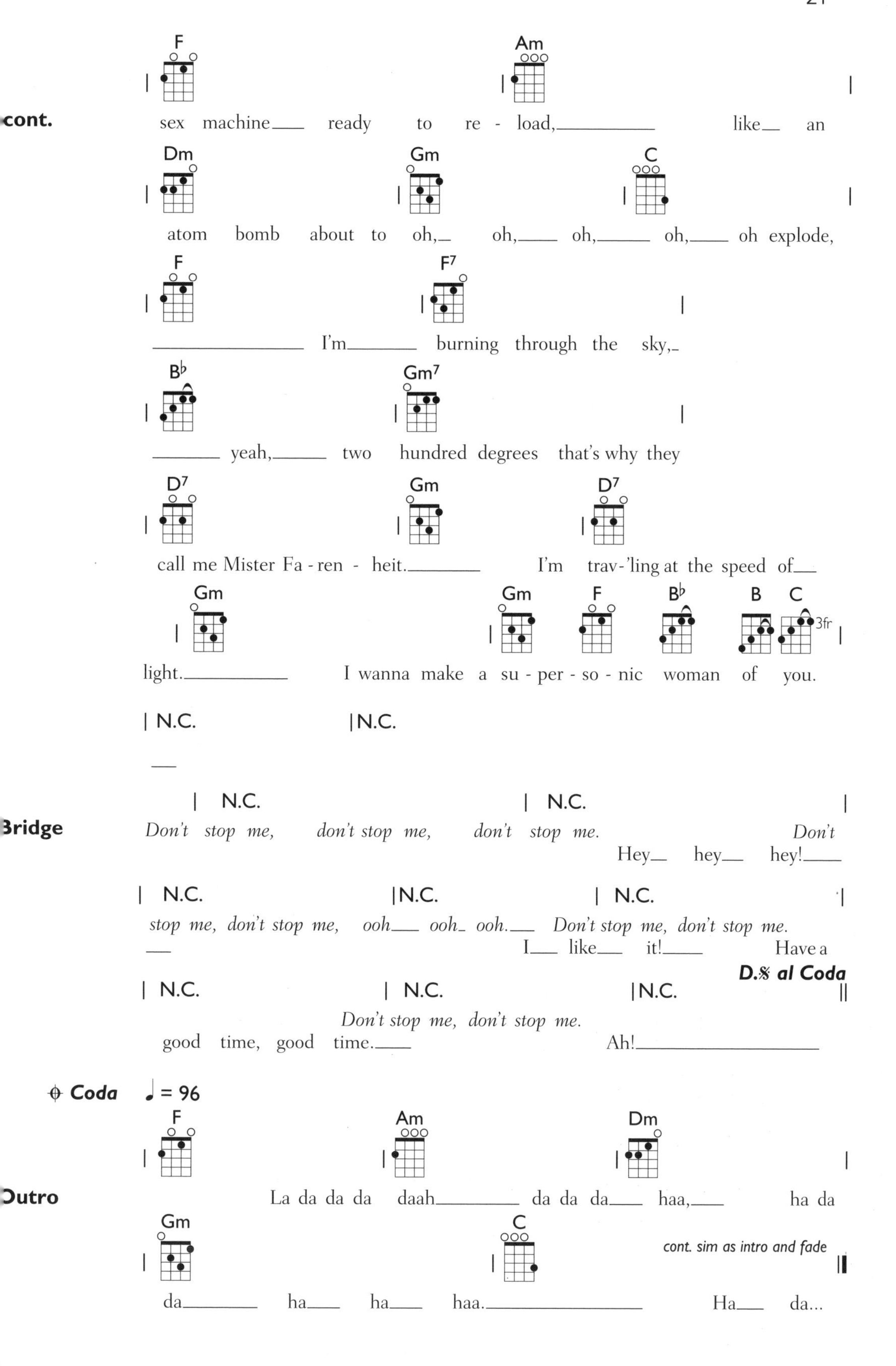

cont.
F Am
sex machine ready to re - load, like an
Dm Gm C
atom bomb about to oh, oh, oh, oh, oh explode,
F F7
I'm burning through the sky,
B♭ Gm7
yeah, two hundred degrees that's why they
D7 Gm D7
call me Mister Fa - ren - heit. I'm trav - 'ling at the speed of
Gm Gm F B♭ B C 3fr
light. I wanna make a su - per - so - nic woman of you.
N.C. N.C.
Bridge
N.C. N.C.
Don't stop me, don't stop me, don't stop me. Don't
Hey hey hey!
N.C. N.C. N.C.
stop me, don't stop me, ooh ooh ooh. Don't stop me, don't stop me.
I like it! Have a
D.𝄋 al Coda
N.C. N.C. N.C.
Don't stop me, don't stop me.
good time, good time. Ah!
Coda ♩ = 96
F Am Dm
Outro
La da da da daah da da da haa, ha da
Gm C
cont. sim as intro and fade
da ha ha haa. Ha da...

DREADLOCK HOLIDAY

Words and Music by Graham Gouldman and Eric Stewart

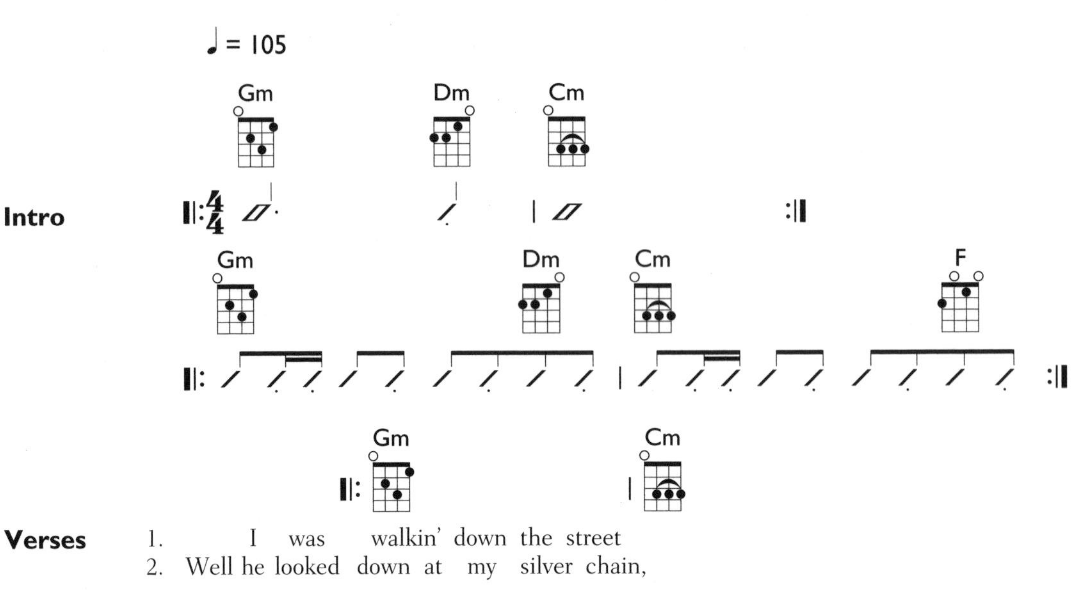
♩ = 105
Gm
Dm
Cm
Intro
Gm
Dm
Cm
F
Gm
Cm
Verses
1. I was walkin' down the street
2. Well he looked down at my silver chain,

Gm
Cm
concen-tratin' on truckin' right, I heard a
he said "I'll give you one dollar." I said "You've
Gm
Cm
dark voice beside of me___ and I looked
got to be jokin' man,__ it was a
Gm
Cm
round in a state of fright. I saw four
present from me Mother." He said "I
Gm
Cm
faces, one mad, a brother from the gutter,
like it, I want it, I'll take it off your hands, and you'll be
Gm
Cm
looked me up and down a bit and turned to each other...
sorry you crossed me, you'd better understand that you're

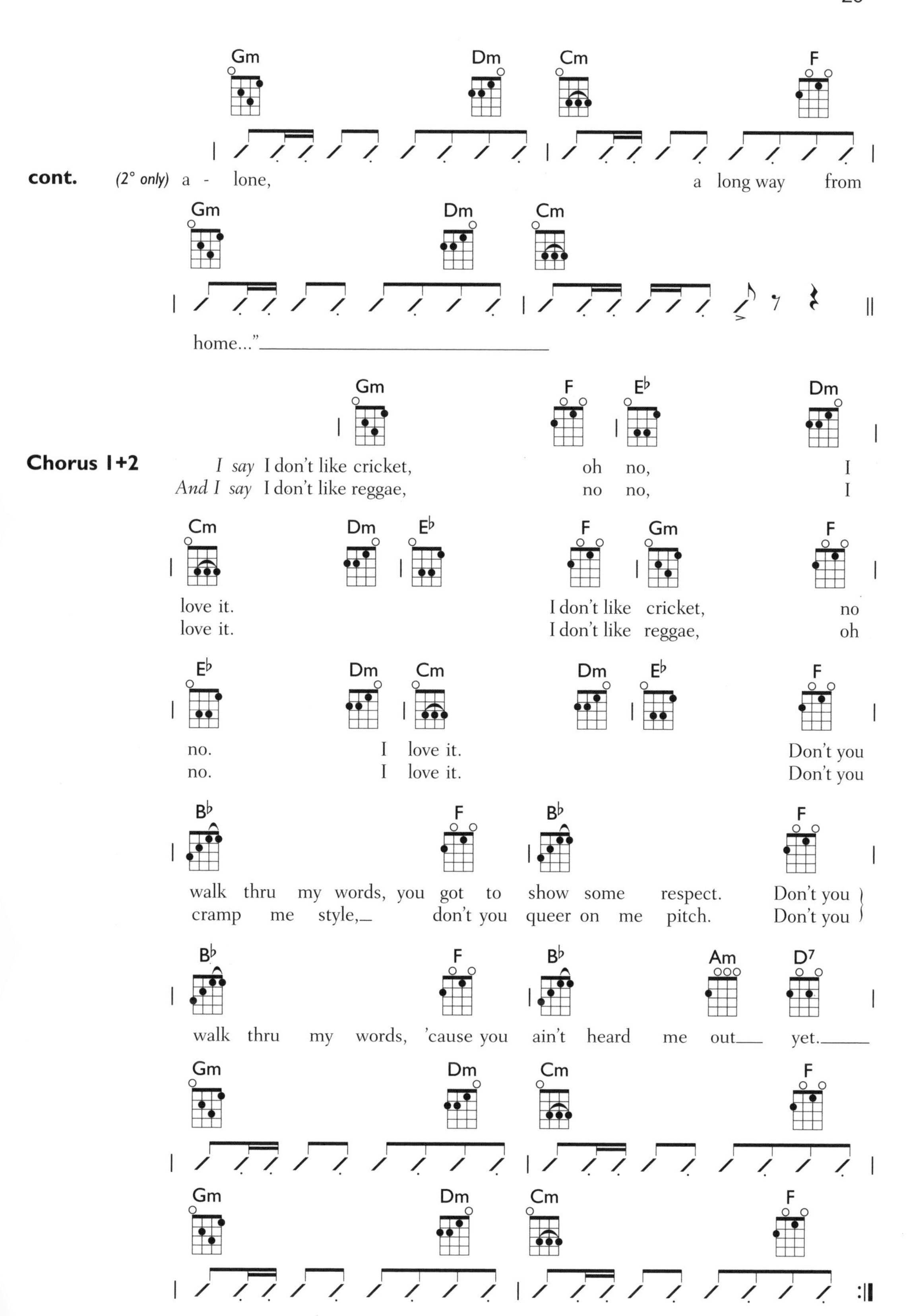

cont.
Gm Dm Cm F
(2° only) a - lone, a long way from
Gm Dm Cm
home..."
Chorus 1+2
Gm F E♭ Dm
I say I don't like cricket, oh no, I
And I say I don't like reggae, no no, I
Cm Dm E♭ F Gm F
love it. I don't like cricket, no
love it. I don't like reggae, oh
E♭ Dm Cm Dm E♭ F
no. I love it. Don't you
no. I love it. Don't you
B♭ F B♭ F
walk thru my words, you got to show some respect. Don't you
cramp me style, don't you queer on me pitch. Don't you
B♭ F B♭ Am D7
walk thru my words, 'cause you ain't heard me out yet.
Gm Dm Cm F
Gm Dm Cm F

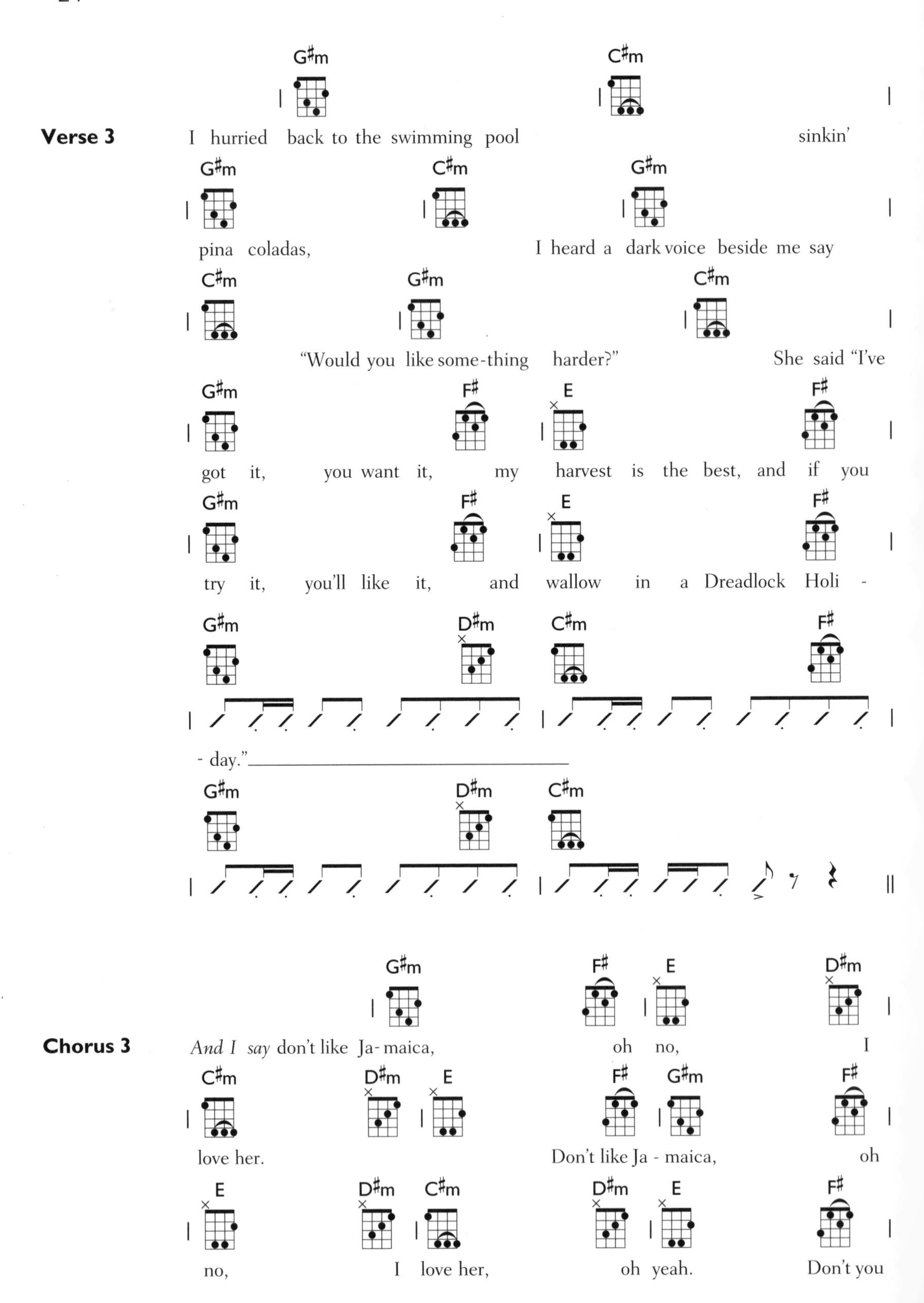
Verse 3
G♯m C♯m
I hurried back to the swimming pool sinkin'
G♯m C♯m G♯m
pina coladas, I heard a dark voice beside me say
C♯m G♯m C♯m
"Would you like some-thing harder?" She said "I've
G♯m F♯ E F♯
got it, you want it, my harvest is the best, and if you
G♯m F♯ E F♯
try it, you'll like it, and wallow in a Dreadlock Holi -
G♯m D♯m C♯m F♯
- day."
G♯m D♯m C♯m
Chorus 3
G♯m F♯ E D♯m
And I say don't like Ja- maica, oh no, I
C♯m D♯m E F♯ G♯m F♯
love her. Don't like Ja - maica, oh
E D♯m C♯m D♯m E F♯
no, I love her, oh yeah. Don't you

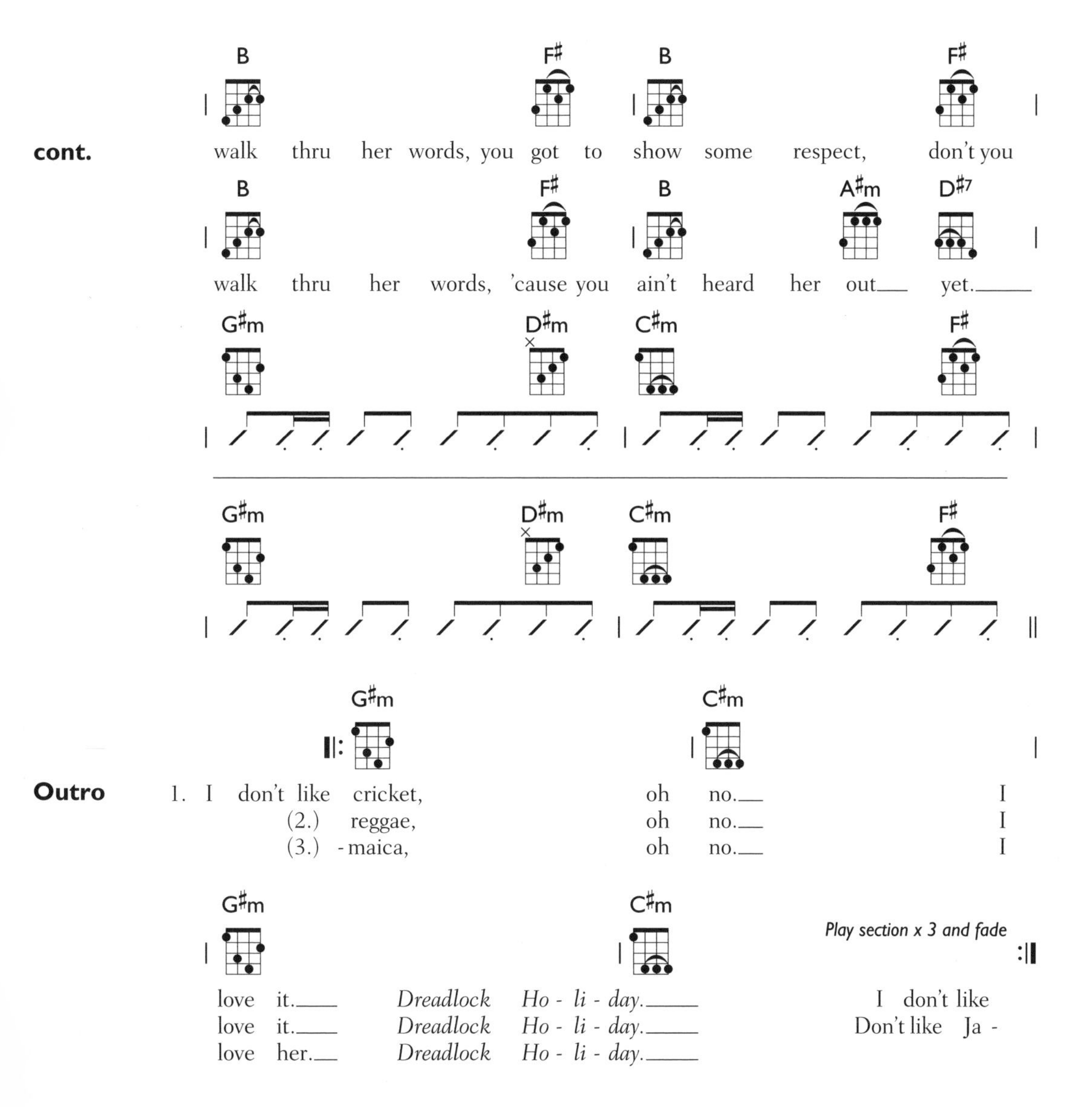
cont.
B
F♯
B
F♯
walk thru her words, you got to show some respect, don't you
B
F♯
B
A♯m
D♯7
walk thru her words, 'cause you ain't heard her out__ yet.___
G♯m
D♯m
C♯m
F♯
G♯m
D♯m
C♯m
F♯
Outro
G♯m
C♯m
1. I don't like cricket, oh no.__ I
(2.) reggae, oh no.__ I
(3.) -maica, oh no.__ I
G♯m
C♯m
Play section x 3 and fade
love it.___ Dreadlock Ho - li - day.___ I don't like
love it.___ Dreadlock Ho - li - day.___ Don't like Ja -
love her.__ Dreadlock Ho - li - day.___

EASY

Words and Music by Lionel Richie

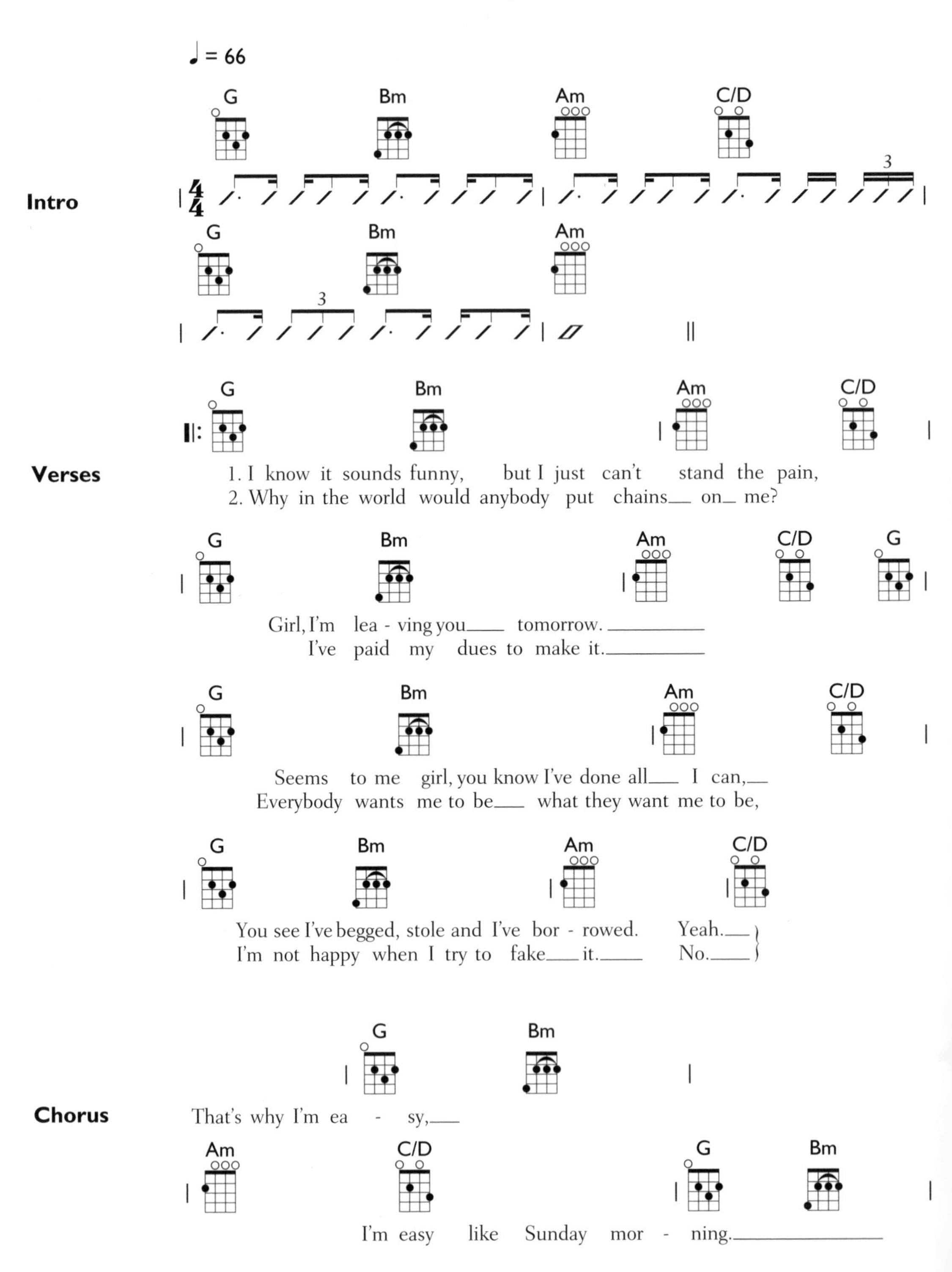

♩ = 66
G Bm Am C/D
Intro
3
G Bm Am
3
G Bm Am C/D
Verses
1. I know it sounds funny, but I just can't stand the pain,
2. Why in the world would anybody put chains on me?
G Bm Am C/D G
Girl, I'm lea - ving you tomorrow.
I've paid my dues to make it.
G Bm Am C/D
Seems to me girl, you know I've done all I can,
Everybody wants me to be what they want me to be,
G Bm Am C/D
You see I've begged, stole and I've bor - rowed. Yeah.
I'm not happy when I try to fake it. No.
G Bm
Chorus
That's why I'm ea - sy,
Am C/D G Bm
I'm easy like Sunday mor - ning.

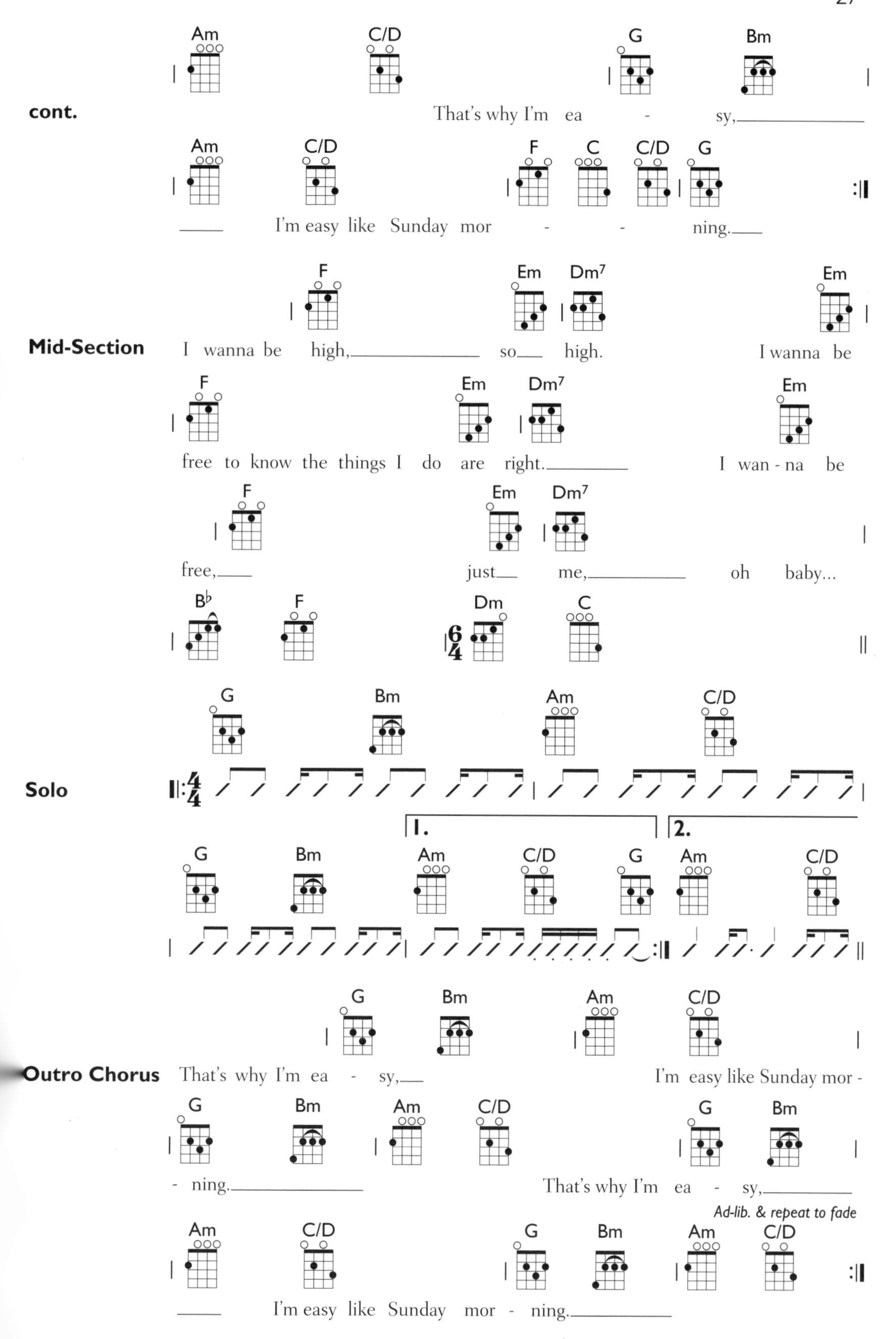

Am C/D G Bm
cont.
That's why I'm ea - sy,
Am C/D F C C/D G
I'm easy like Sunday mor - - ning.
F Em Dm7 Em
Mid-Section
I wanna be high, so high. I wanna be
F Em Dm7 Em
free to know the things I do are right. I wan - na be
F Em Dm7
free, just me, oh baby...
B♭ F Dm C
Solo
G Bm Am C/D
1.
2.
G Bm Am C/D G Am C/D
G Bm Am C/D
Outro Chorus
That's why I'm ea - sy, I'm easy like Sunday mor -
G Bm Am C/D G Bm
- ning. That's why I'm ea - sy,
Ad-lib. & repeat to fade
Am C/D G Bm Am C/D
I'm easy like Sunday mor - ning.

EVER FALLEN IN LOVE
(WITH SOMEONE YOU SHOULDN'T'VE)

Words and Music by Peter Shelley

♩ = 174
Intro
Dm C Dm
C F
Verses
Dm Dm C
1. You spurn my natural e - mo - tions,
2. I can't see much of a fu - ture
3. You dis - turb my natural e - mo - tions,
Dm Dm C F
You make me feel like dirt, and I'm hurt.
un - less we find out what's to blame, what a shame.
You make me feel like dirt, and I'm hurt.
F F F
And
And we
And
Dm Dm C Dm
if I start a com - mo - tion I run the risk of
won't be together much lon - ger un - less we realise
if I start a com - mo - tion I'll only end up
Dm C F
lo - sing you, and that's worse.
that we are the same.
lo - sing you, and that's worse.

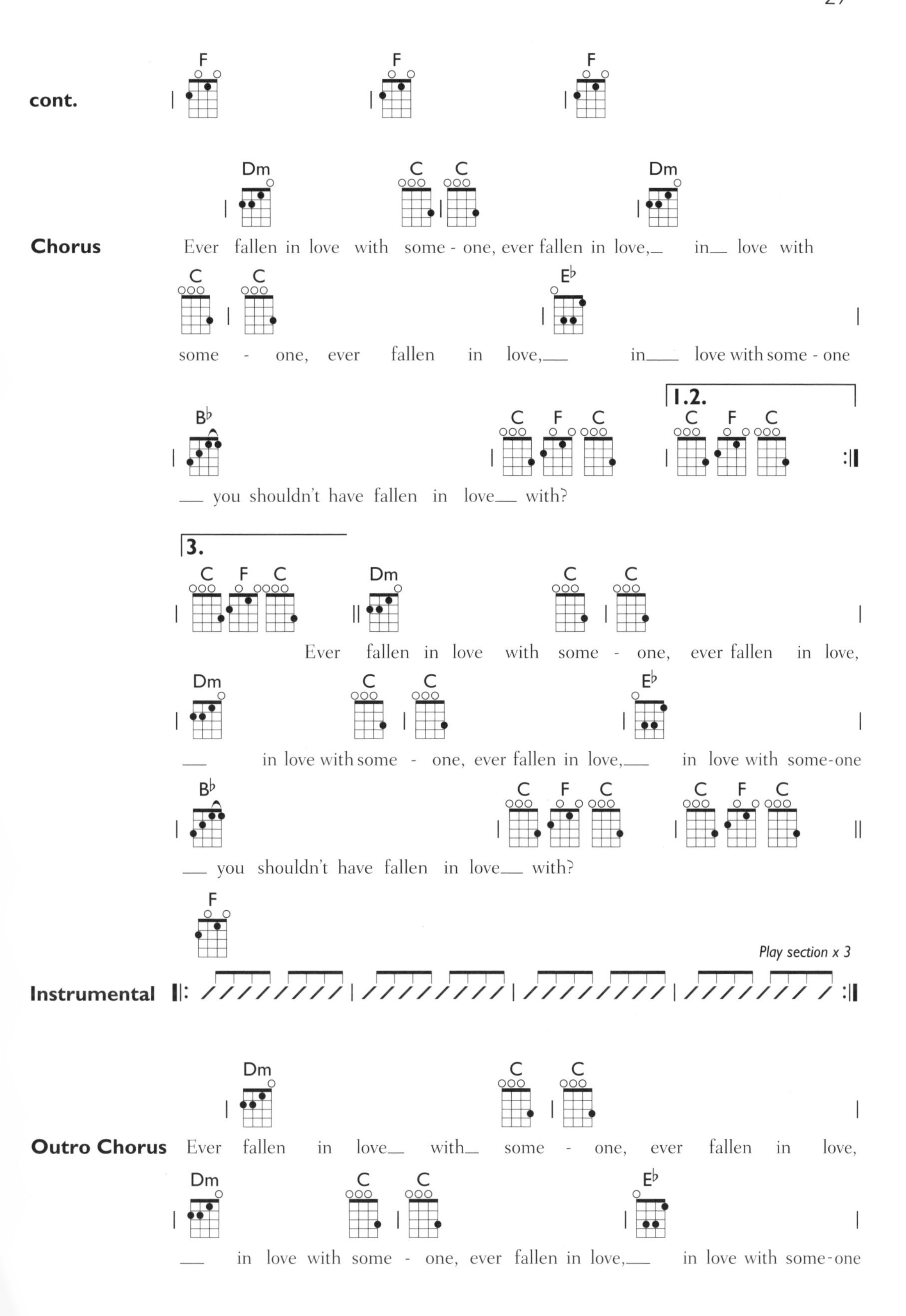
cont.
F
F
F
Chorus
Dm
C
C
Dm
Ever fallen in love with some - one, ever fallen in love, in love with
C
C
E♭
some - one, ever fallen in love, in love with some - one
B♭
C F C
1.2.
C F C
you shouldn't have fallen in love with?
3.
C F C
Dm
C
C
Ever fallen in love with some - one, ever fallen in love,
Dm
C
C
E♭
in love with some - one, ever fallen in love, in love with some-one
B♭
C F C
C F C
you shouldn't have fallen in love with?
F
Play section x 3
Instrumental
Outro Chorus
Dm
C
C
Ever fallen in love with some - one, ever fallen in love,
Dm
C
C
E♭
in love with some - one, ever fallen in love, in love with some-one

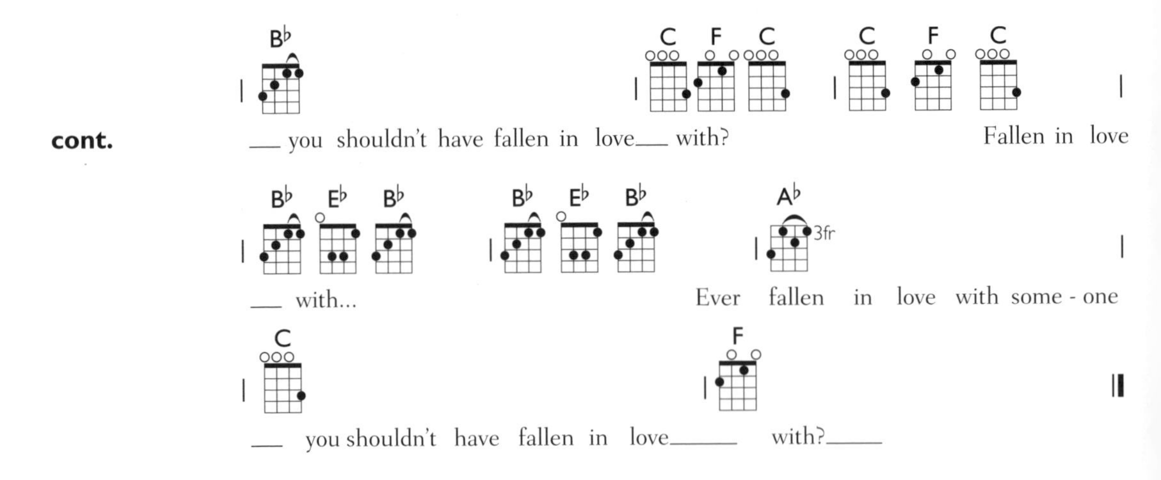
B♭ C F C C F C
cont.
__ you shouldn't have fallen in love__ with? Fallen in love
B♭ E♭ B♭ B♭ E♭ B♭ A♭
3fr
__ with... Ever fallen in love with some - one
C F
__ you shouldn't have fallen in love____ with?____

HEY THERE DELILAH

Words and Music by Tom Higgenson

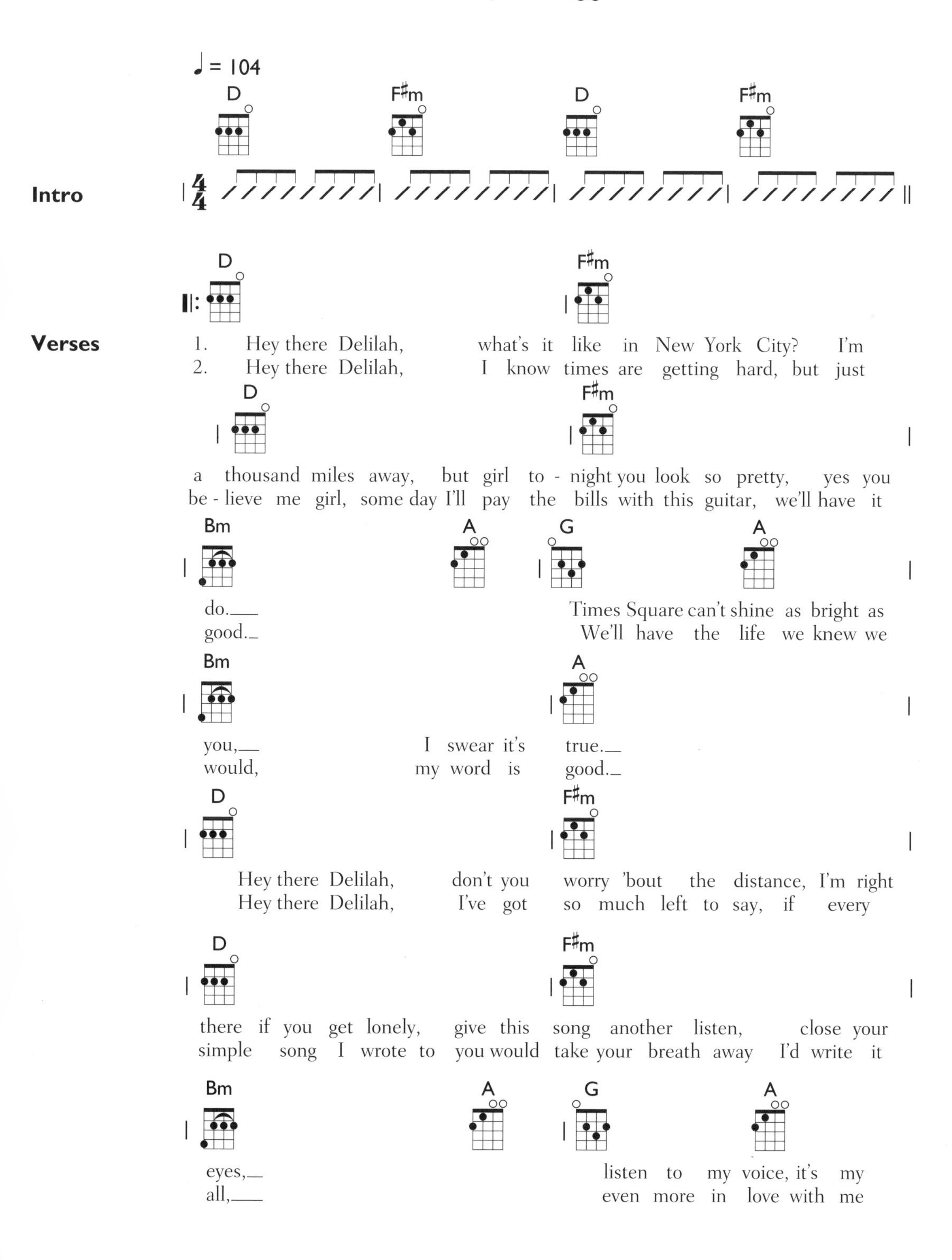

♩ = 104
D F♯m D F♯m
Intro
4/4
D F♯m
Verses
1. Hey there Delilah, what's it like in New York City? I'm
2. Hey there Delilah, I know times are getting hard, but just
D F♯m
a thousand miles away, but girl to - night you look so pretty, yes you
be - lieve me girl, some day I'll pay the bills with this guitar, we'll have it
Bm A G A
do.__ Times Square can't shine as bright as
good._ We'll have the life we knew we
Bm A
you,__ I swear it's true.__
would, my word is good._
D F♯m
Hey there Delilah, don't you worry 'bout the distance, I'm right
Hey there Delilah, I've got so much left to say, if every
D F♯m
there if you get lonely, give this song another listen, close your
simple song I wrote to you would take your breath away I'd write it
Bm A G A
eyes,__ listen to my voice, it's my
all,___ even more in love with me

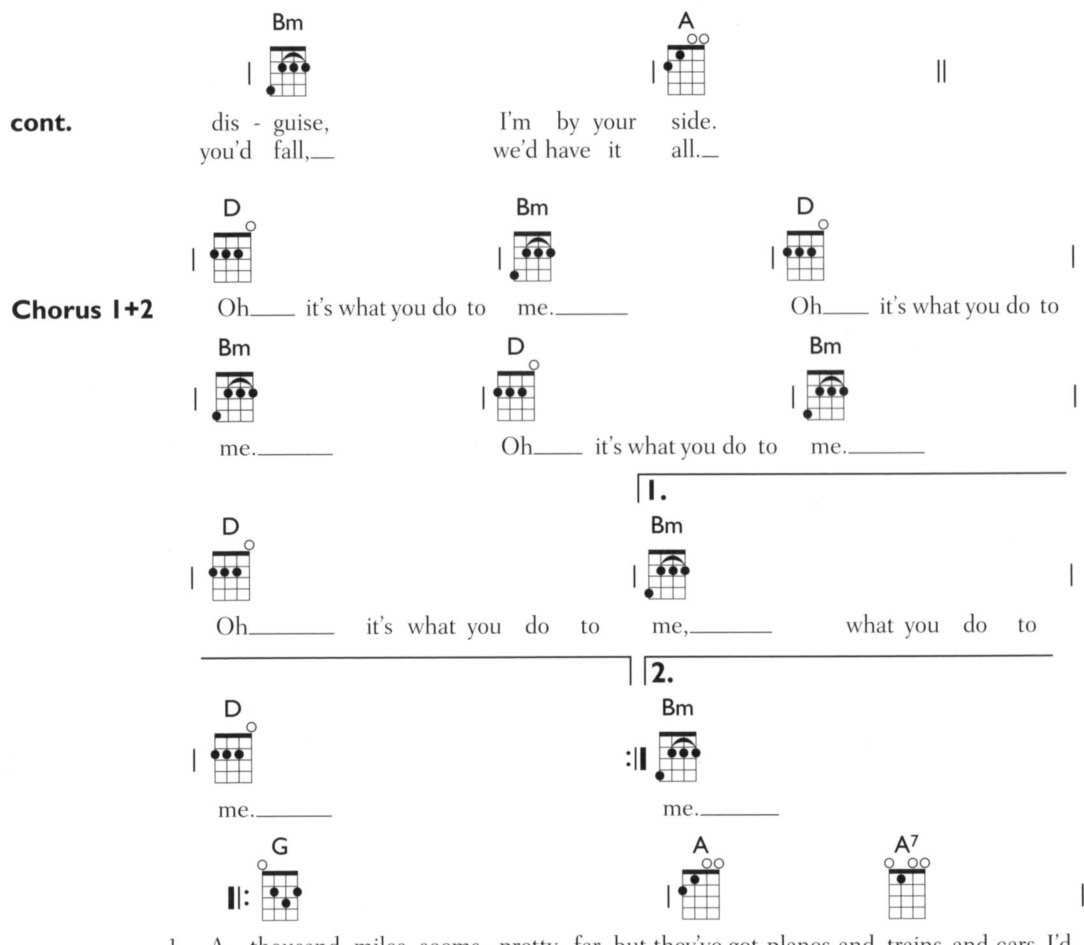

Bm
A
cont.
dis - guise, I'm by your side.
you'd fall, we'd have it all.
D
Bm
D
Chorus 1+2
Oh it's what you do to me.
Oh it's what you do to
Bm
D
Bm
me.
Oh it's what you do to me.
1.
D
Bm
Oh it's what you do to me, what you do to
2.
D
Bm
me.
me.
G
A
A7

Mid-Section
1. A thousand miles seems pretty far, but they've got planes and trains and cars, I'd
2. Our friends would all make fun of us, and we'll just laugh along because we
3. De - lilah, I can promise you that by the time that we get through, the

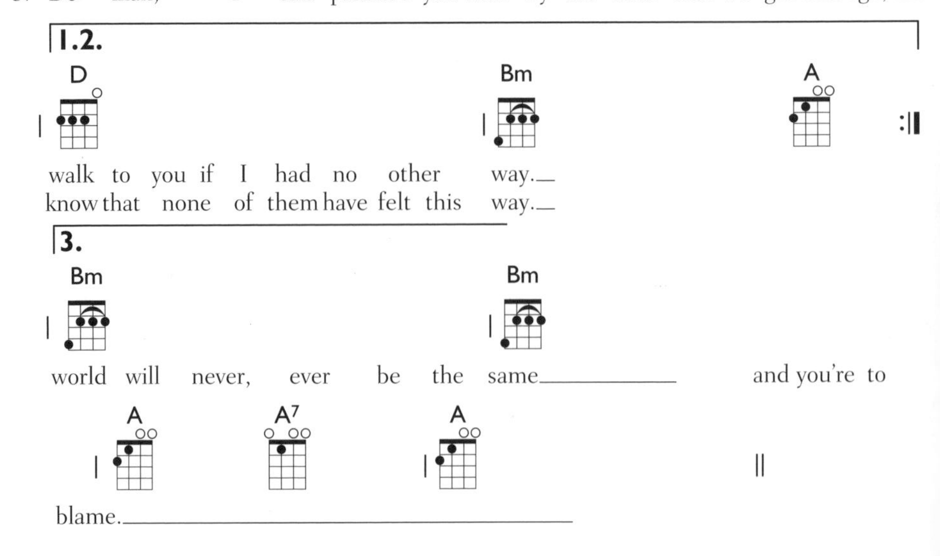

1.2.
D
Bm
A
walk to you if I had no other way.
know that none of them have felt this way.
3.
Bm
Bm
world will never, ever be the same and you're to
A
A7
A
blame.

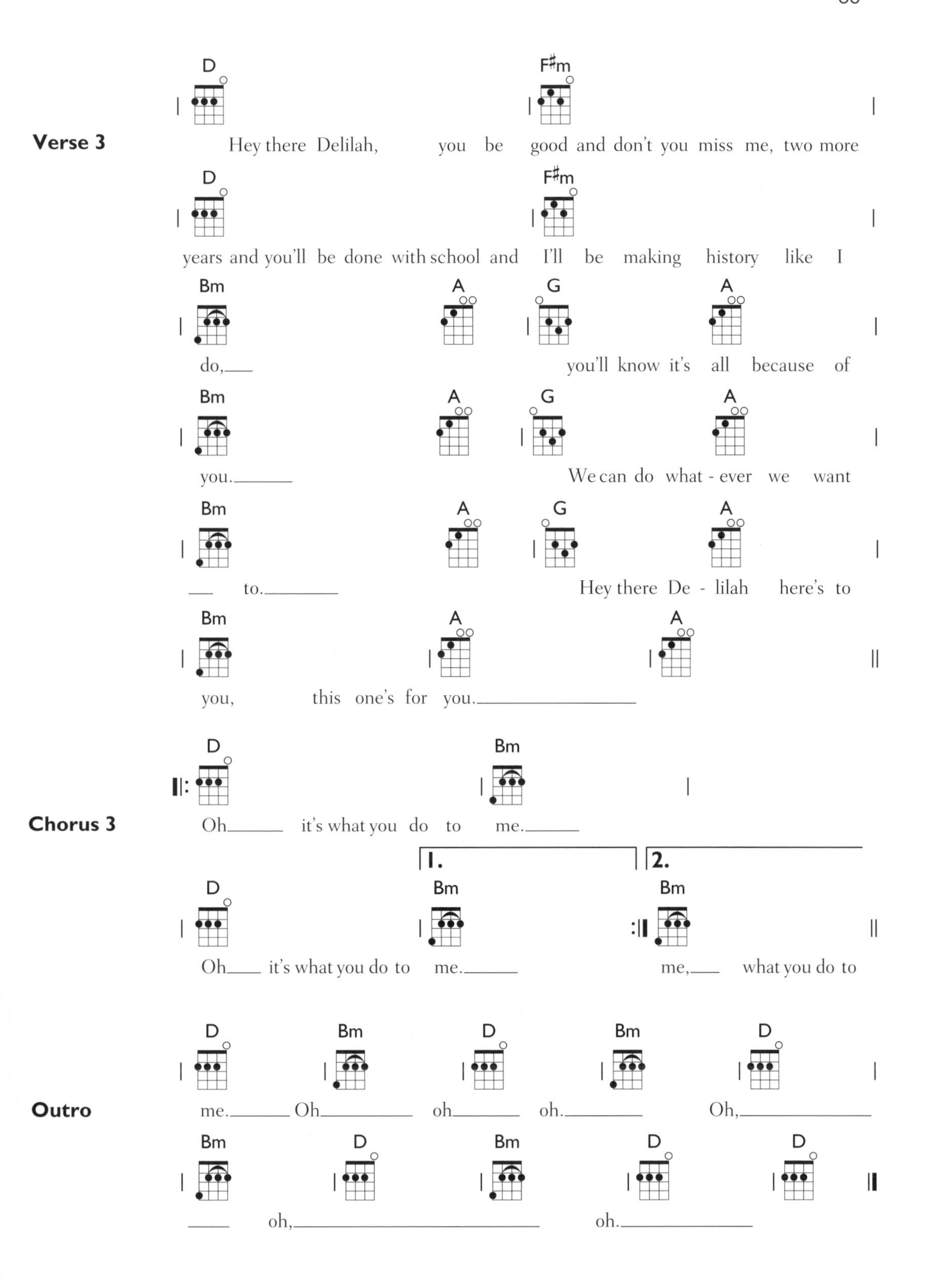
Verse 3
D F♯m
Hey there Delilah, you be good and don't you miss me, two more
D F♯m
years and you'll be done with school and I'll be making history like I
Bm A G A
do, you'll know it's all because of
Bm A G A
you. We can do what - ever we want
Bm A G A
to. Hey there De - lilah here's to
Bm A A
you, this one's for you.
Chorus 3
D Bm
Oh it's what you do to me.
1. 2.
D Bm Bm
Oh it's what you do to me. me, what you do to
Outro
D Bm D Bm D
me. Oh oh oh. Oh,
Bm D Bm D D
oh, oh.

THE FEAR

Words and Music by Lily Allen and Greg Kurstin

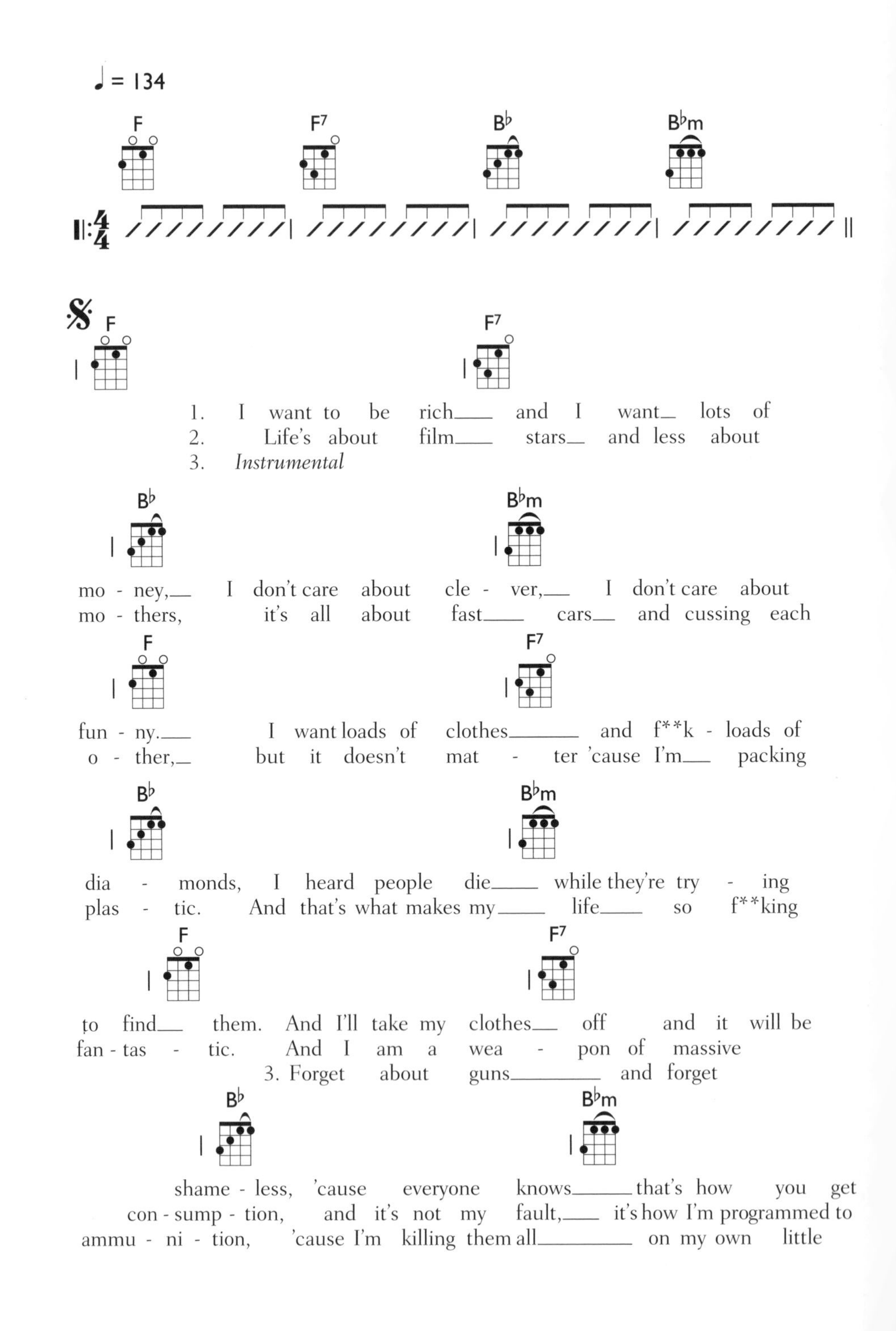
♩ = 134
F F7 B♭ B♭m
Intro
Verses
F F7
1. I want to be rich and I want lots of
2. Life's about film stars and less about
3. *Instrumental*
B♭ B♭m
mo - ney, I don't care about cle - ver, I don't care about
mo - thers, it's all about fast cars and cussing each
F F7
fun - ny. I want loads of clothes and f**k - loads of
o - ther, but it doesn't mat - ter 'cause I'm packing
B♭ B♭m
dia - monds, I heard people die while they're try - ing
plas - tic. And that's what makes my life so f**king
F F7
to find them. And I'll take my clothes off and it will be
fan - tas - tic. And I am a wea - pon of massive
3. Forget about guns and forget
B♭ B♭m
shame - less, 'cause everyone knows that's how you get
con - sump - tion, and it's not my fault, it's how I'm programmed to
ammu - ni - tion, 'cause I'm killing them all on my own little

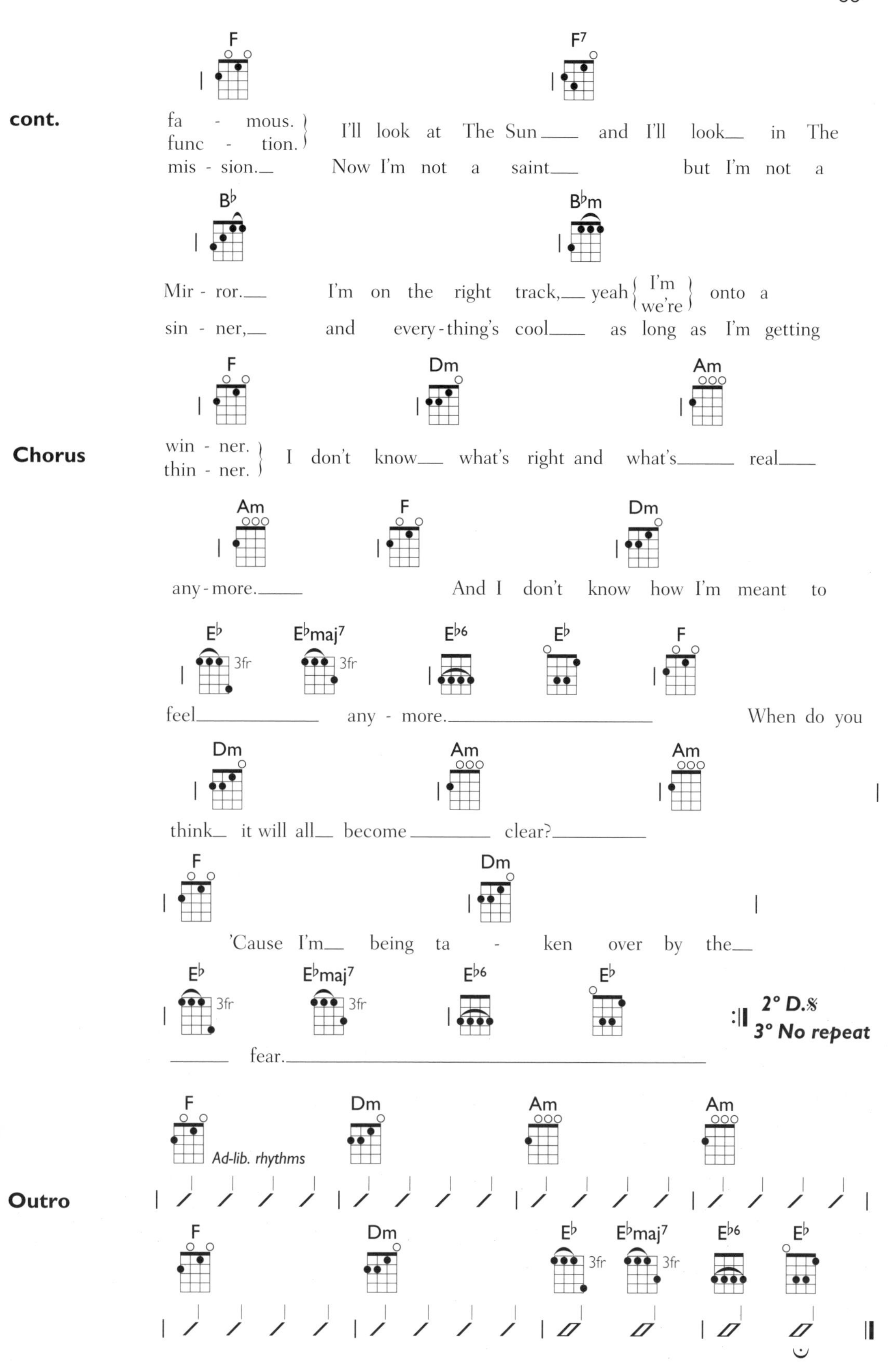

F
F7
cont.
fa - mous. I'll look at The Sun and I'll look in The
func - tion.
mis - sion. Now I'm not a saint but I'm not a
B♭
B♭m
Mir - ror. I'm on the right track, yeah I'm onto a
we're
sin - ner, and every - thing's cool as long as I'm getting
F
Dm
Am
Chorus
win - ner. I don't know what's right and what's real
thin - ner.
Am
F
Dm
any - more. And I don't know how I'm meant to
E♭
E♭maj7
E♭6
E♭
F
3fr
feel any - more. When do you
Dm
Am
Am
think it will all become clear?
F
Dm
'Cause I'm being ta - ken over by the
E♭
E♭maj7
E♭6
E♭
3fr
fear.
2° D.𝄋
3° No repeat
F
Dm
Am
Am
Ad-lib. rhythms
Outro
F
Dm
E♭
E♭maj7
E♭6
E♭
3fr

FELL IN LOVE WITH A GIRL

Words and Music by Jack White

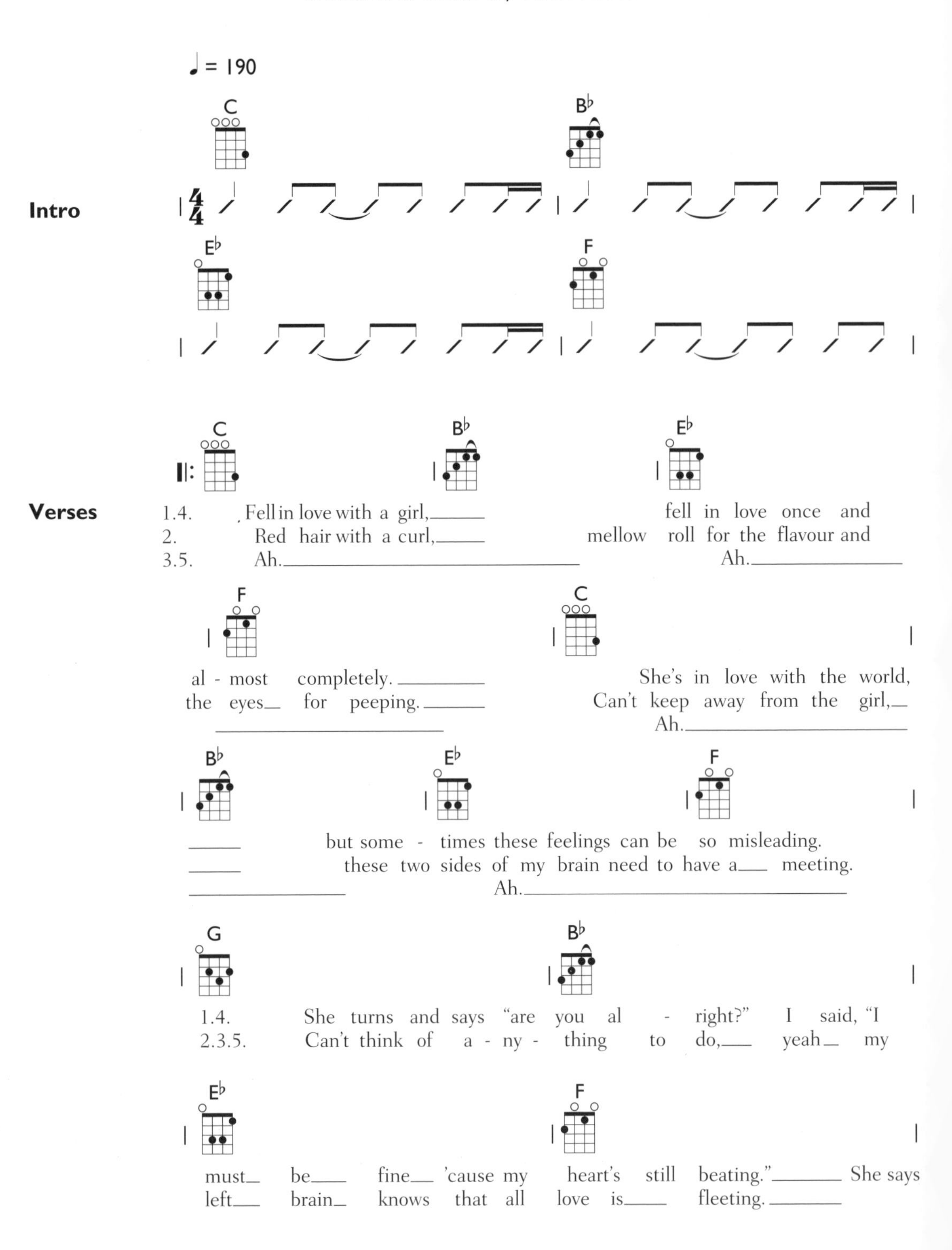
♩ = 190
Intro
C
B♭
E♭
F
Verses
C
B♭
E♭
1.4. Fell in love with a girl, fell in love once and
2. Red hair with a curl, mellow roll for the flavour and
3.5. Ah. Ah.
F
C
al - most completely. She's in love with the world,
the eyes for peeping. Can't keep away from the girl,
Ah.
B♭
E♭
F
but some - times these feelings can be so misleading.
these two sides of my brain need to have a meeting.
Ah.
G
B♭
1.4. She turns and says "are you al - right?" I said, "I
2.3.5. Can't think of a - ny - thing to do, yeah my
E♭
F
must be fine 'cause my heart's still beating." She says
left brain knows that all love is fleeting.

cont.

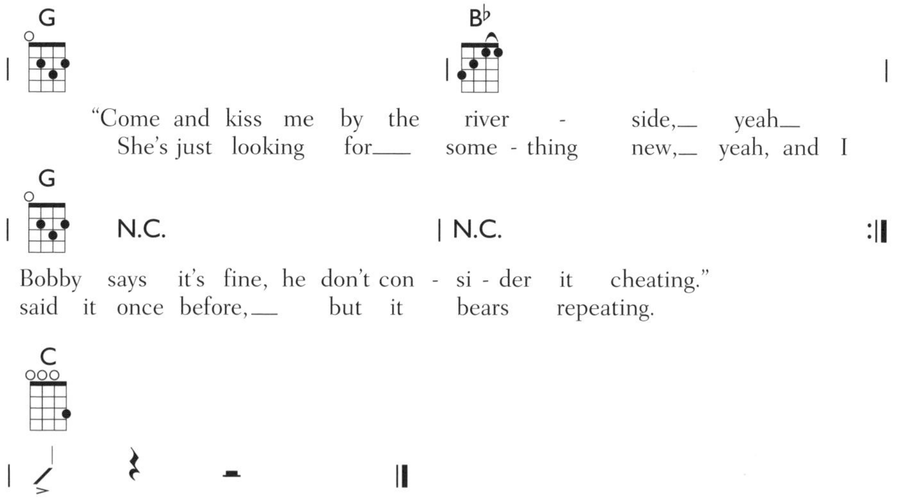

G | Bb |

"Come and kiss me by the river - side,__ yeah__
She's just looking for__ some - thing new,__ yeah, and I

G N.C. | N.C. :||

Bobby says it's fine, he don't con - si - der it cheating."
said it once before,__ but it bears repeating.

C

I CAN SEE CLEARLY NOW

Words and Music by Johnny Nash

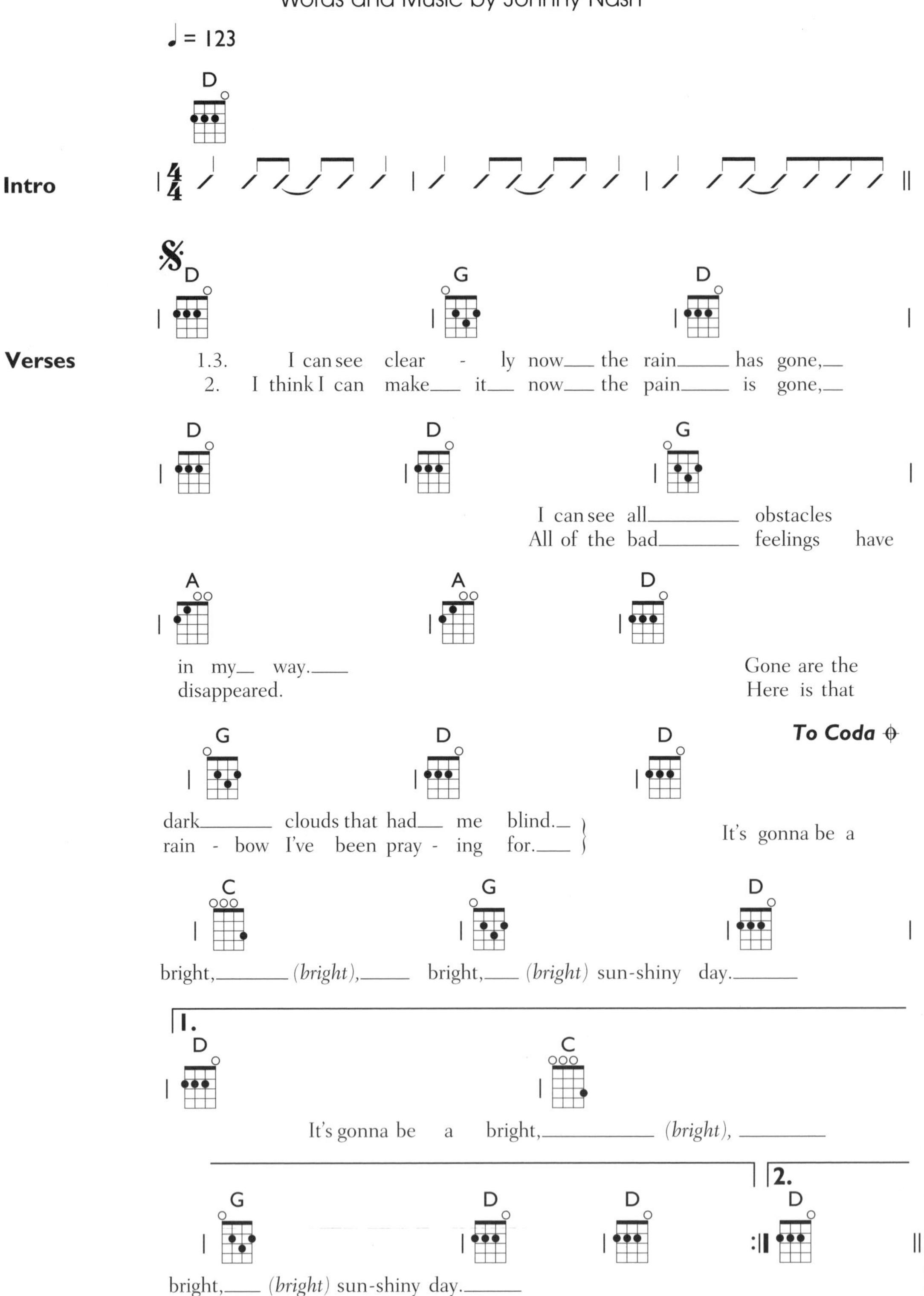
♩ = 123
D
Intro
Verses
D G D
1.3. I can see clear - ly now the rain has gone,
2. I think I can make it now the pain is gone,
D D G
I can see all obstacles
All of the bad feelings have
A A D
in my way.
disappeared.
Gone are the
Here is that
G D D
To Coda
dark clouds that had me blind.
rain - bow I've been pray - ing for.
It's gonna be a
C G D
bright, (bright), bright, (bright) sun-shiny day.
1.
D C
It's gonna be a bright, (bright),
G D D
bright, (bright) sun-shiny day.
2.
D

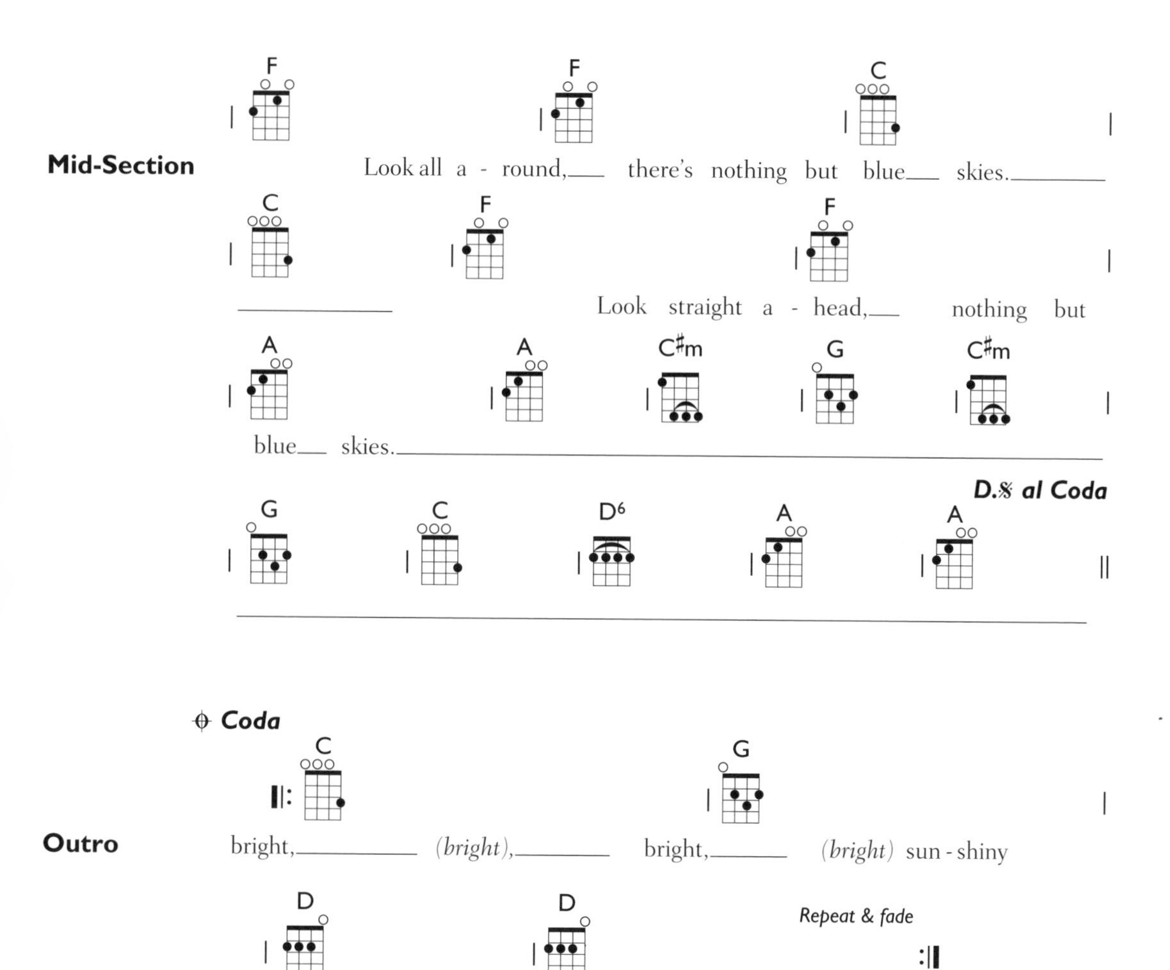
Mid-Section
F F C
Look all a - round, there's nothing but blue skies.
C F F
Look straight a - head, nothing but
A A C♯m G C♯m
blue skies.
D.𝄋 al Coda
G C D6 A A
Coda
C G
Outro
bright, (bright), bright, (bright) sun - shiny
D D
Repeat & fade
day. It's gonna be a bright,

I GOT YOU BABE

Words and Music by Sonny Bono

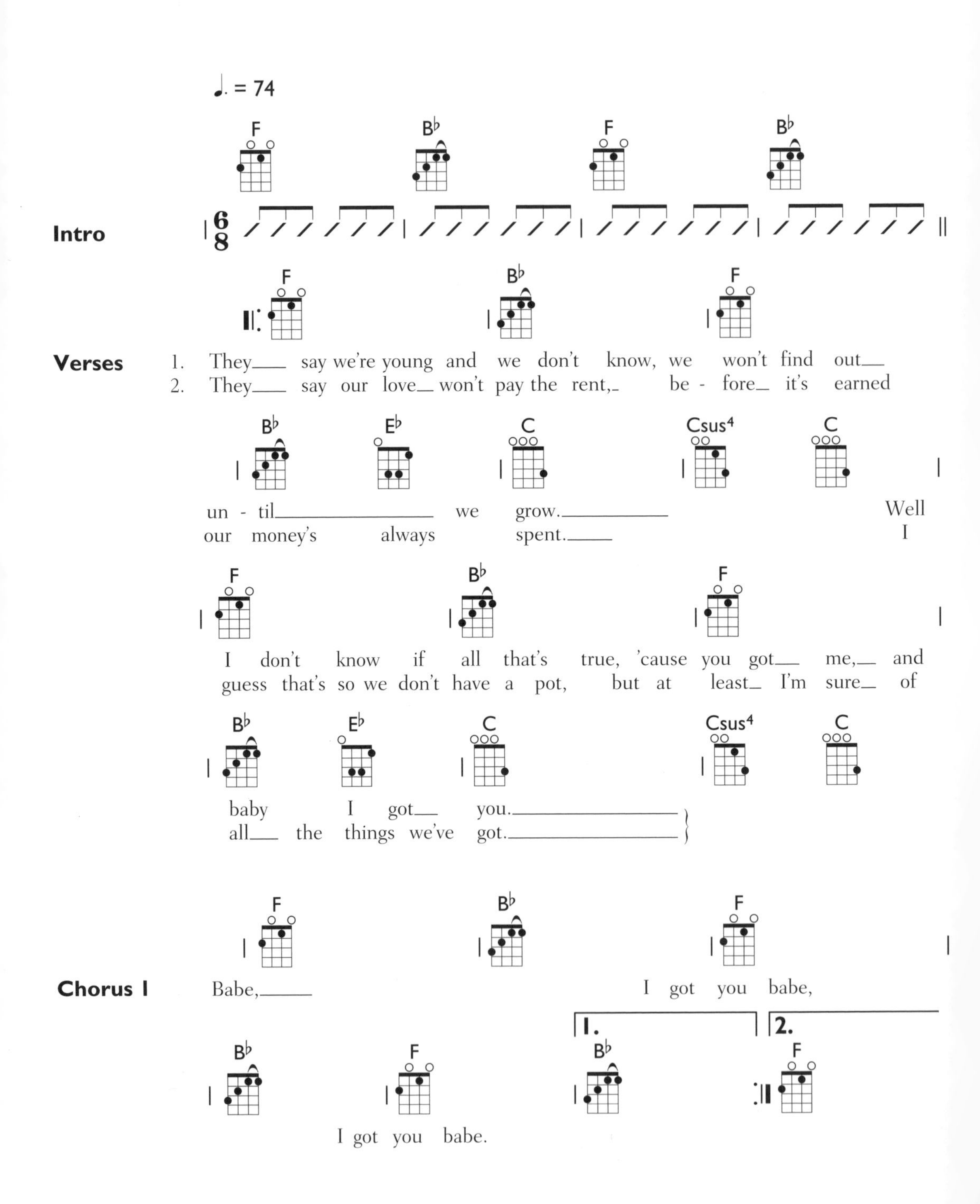

♩. = 74
F
B♭
F
B♭
Intro
6/8
Verses
1. They___ say we're young and we don't know, we won't find out___
2. They___ say our love___ won't pay the rent,___ be - fore___ it's earned
E♭
C
Csus4
un - til___ we grow.___ Well
our money's always spent.___ I
I don't know if all that's true, 'cause you got___ me,___ and
guess that's so we don't have a pot, but at least___ I'm sure___ of
baby I got___ you.___
all___ the things we've got.___
Chorus 1
Babe,___ I got you babe,
1.
2.
I got you babe.

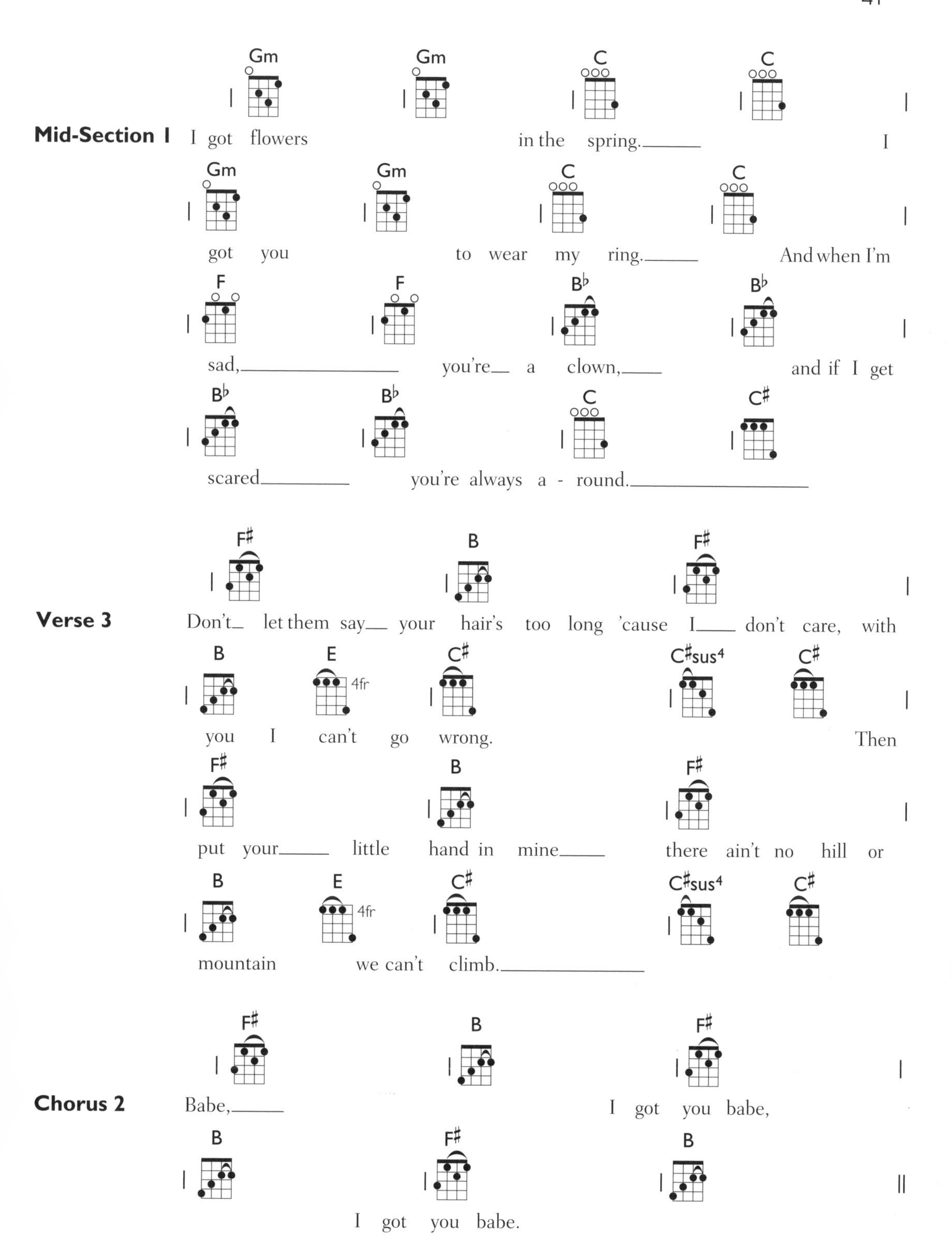
Mid-Section 1
Gm Gm C C
I got flowers in the spring. I
Gm Gm C C
got you to wear my ring. And when I'm
F F B♭ B♭
sad, you're a clown, and if I get
B♭ B♭ C C♯
scared you're always a - round.
Verse 3
F♯ B F♯
Don't let them say your hair's too long 'cause I don't care, with
B E 4fr C♯ C♯sus4 C♯
you I can't go wrong. Then
F♯ B F♯
put your little hand in mine there ain't no hill or
B E 4fr C♯ C♯sus4 C♯
mountain we can't climb.
Chorus 2
F♯ B F♯
Babe, I got you babe,
B F♯ B
I got you babe.

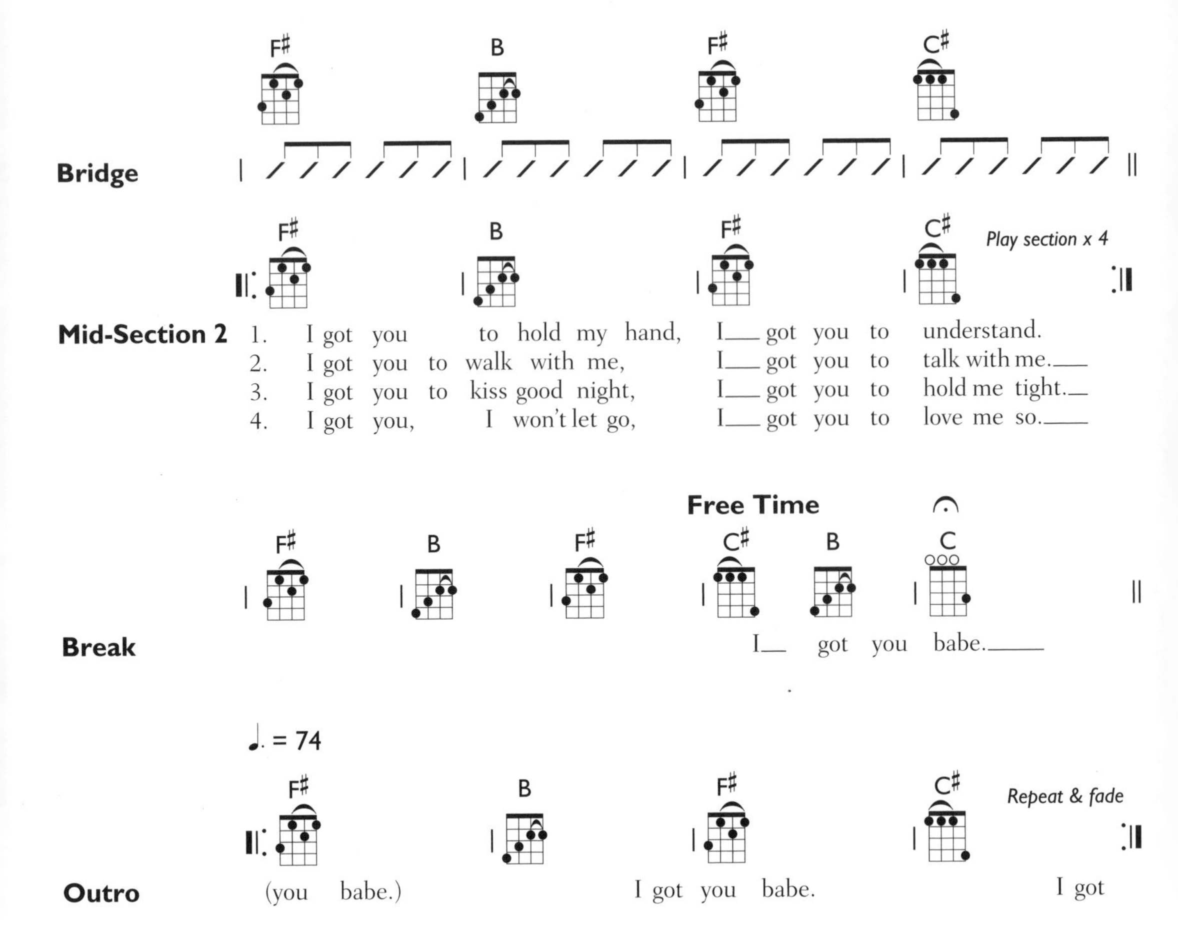
Bridge
F♯ B F♯ C♯
Mid-Section 2
F♯ B F♯ C♯
Play section x 4
1. I got you to hold my hand, I got you to understand.
2. I got you to walk with me, I got you to talk with me.
3. I got you to kiss good night, I got you to hold me tight.
4. I got you, I won't let go, I got you to love me so.
Break
Free Time
F♯ B F♯ C♯ B C
I got you babe.
♩. = 74
Outro
F♯ B F♯ C♯
Repeat & fade
(you babe.) I got you babe. I got

JIVE TALKIN'

Words and Music by Barry Gibb,
Maurice Gibb and Robin Gibb

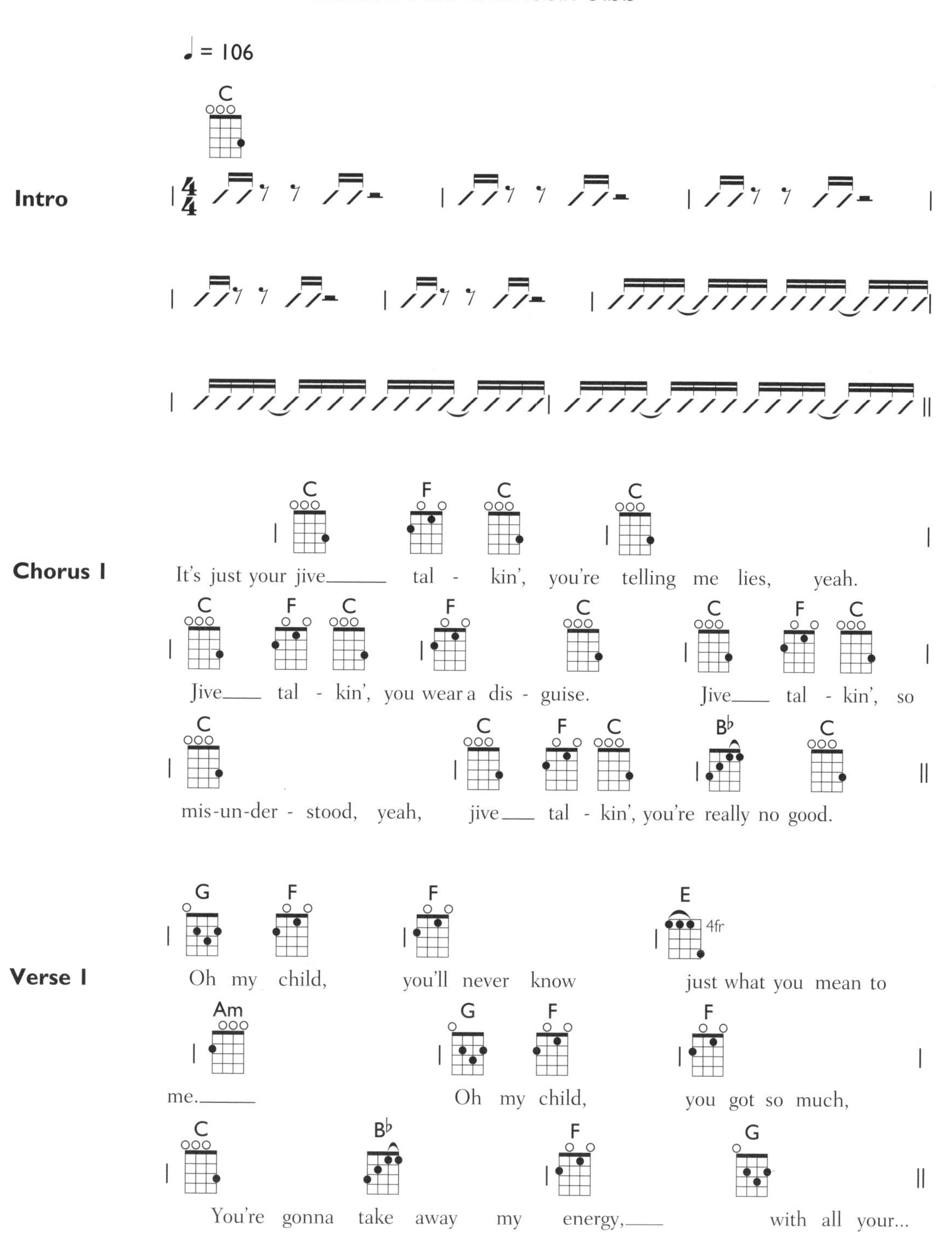
♩ = 106
Intro
C
Chorus 1
C F C C
It's just your jive___ tal - kin', you're telling me lies, yeah.
C F C F C C F C
Jive___ tal - kin', you wear a dis - guise. Jive___ tal - kin', so
C C F C B♭ C
mis-un-der - stood, yeah, jive___ tal - kin', you're really no good.
Verse 1
G F F E
4fr
Oh my child, you'll never know just what you mean to
Am G F F
me.___ Oh my child, you got so much,
C B♭ F G
You're gonna take away my energy,___ with all your...

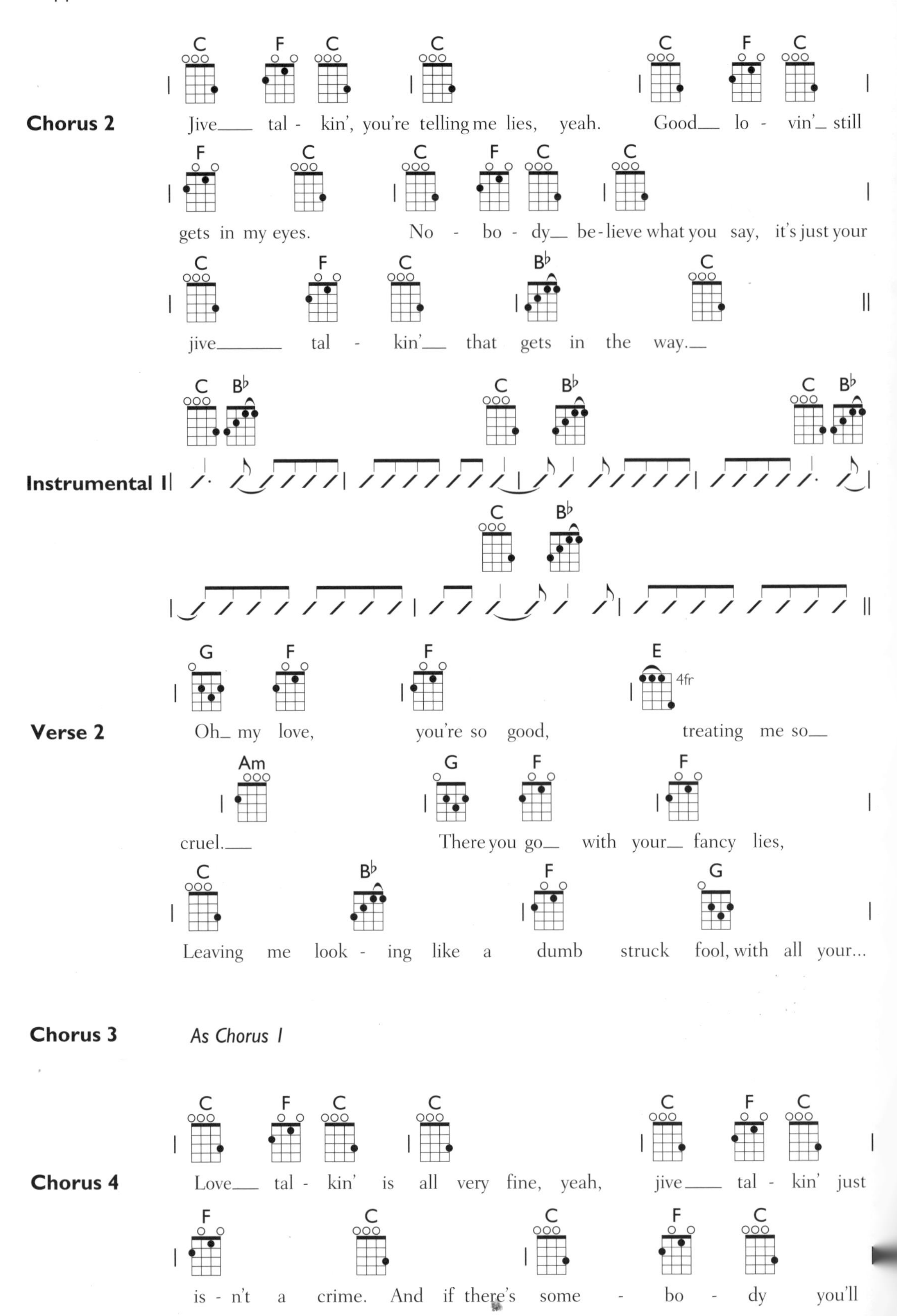
Chorus 2
C F C C C F C
Jive tal - kin', you're telling me lies, yeah. Good lo - vin' still
F C C F C C
gets in my eyes. No - bo - dy be-lieve what you say, it's just your
C F C B♭ C
jive tal - kin' that gets in the way.
Instrumental 1
C B♭ C B♭ C B♭
C B♭
Verse 2
G F F E
4fr
Oh my love, you're so good, treating me so
Am G F F
cruel. There you go with your fancy lies,
C B♭ F G
Leaving me look - ing like a dumb struck fool, with all your...
Chorus 3
As Chorus 1
Chorus 4
C F C C C F C
Love tal - kin' is all very fine, yeah, jive tal - kin' just
F C C F C
is - n't a crime. And if there's some - bo - dy you'll

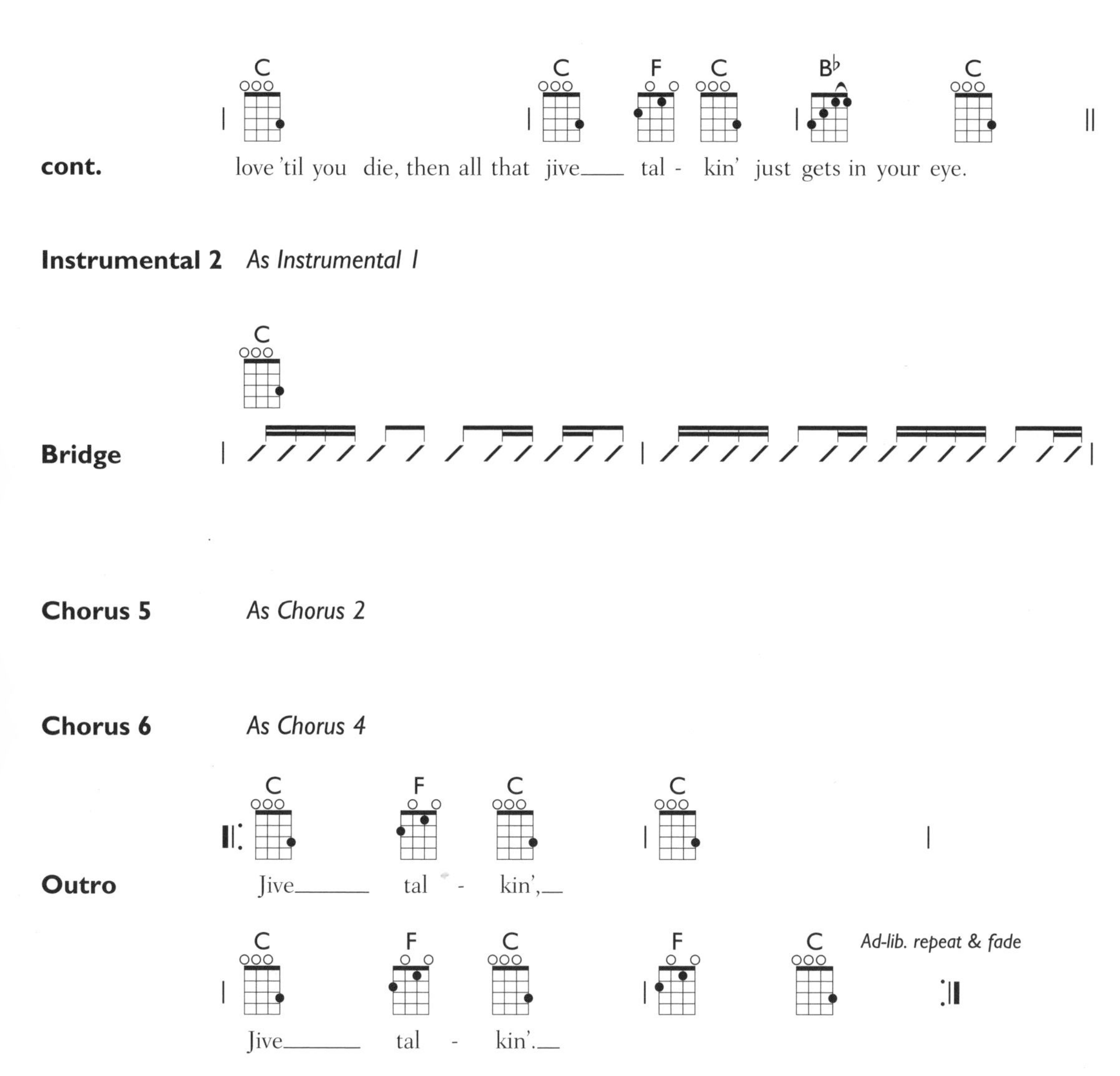
cont.
C C F C B♭ C
love 'til you die, then all that jive___ tal - kin' just gets in your eye.
Instrumental 2
As Instrumental 1
Bridge
C
Chorus 5
As Chorus 2
Chorus 6
As Chorus 4
Outro
C F C C
Jive___ tal - kin',__
C F C F C
Ad-lib. repeat & fade
Jive___ tal - kin'.__

KARMA CHAMELEON

Words and Music by George O'Dowd, Jon Moss,
Michael Craig, Roy Hay and Phil Pickett

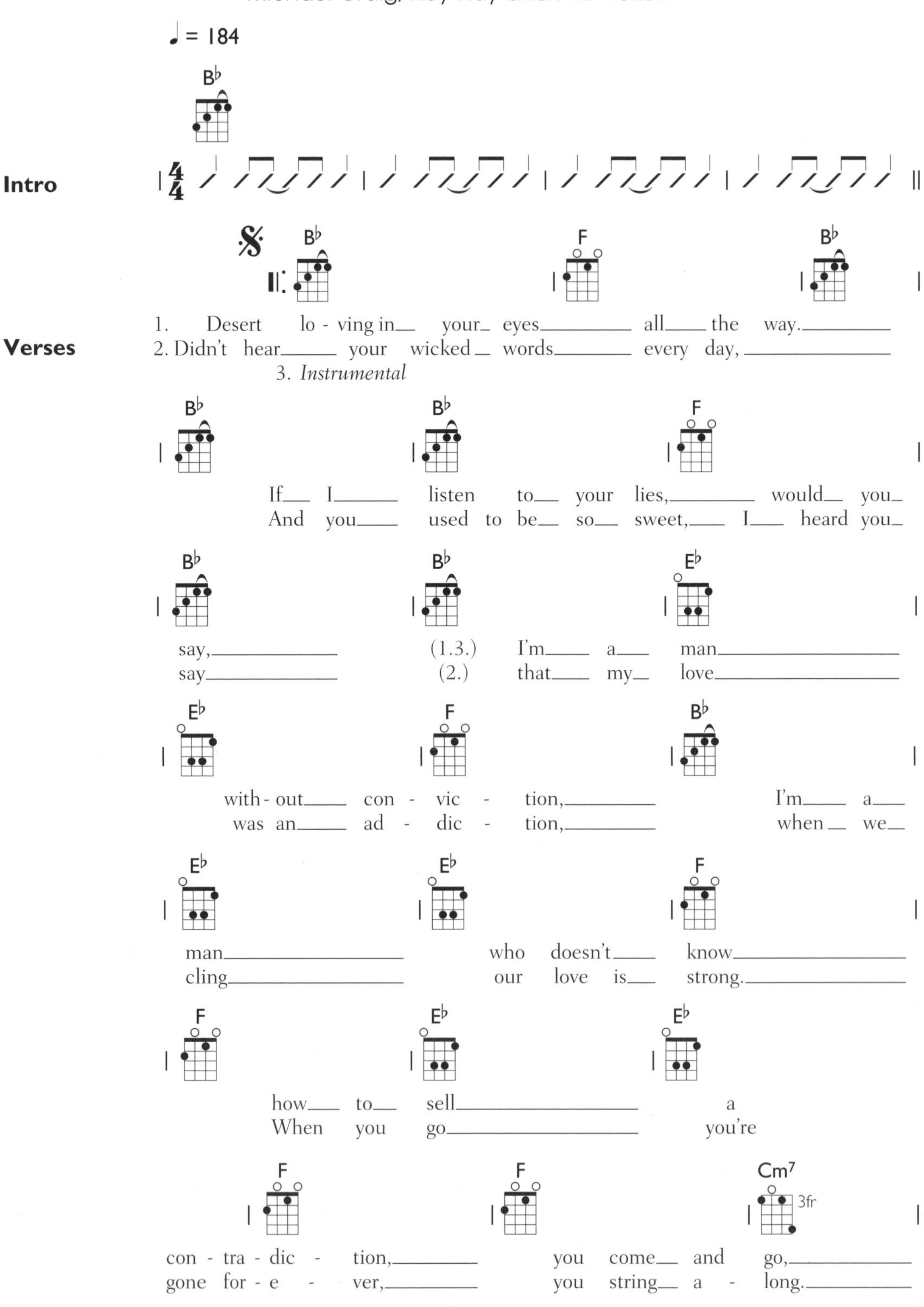
♩ = 184
B♭
Intro
Verses
B♭ F B♭
1. Desert lo - ving in your eyes all the way.
2. Didn't hear your wicked words every day,
3. Instrumental
B♭ B♭ F
If I listen to your lies, would you
And you used to be so sweet, I heard you
B♭ B♭ E♭
say, (1.3.) I'm a man
say (2.) that my love
E♭ F B♭
with - out con - vic - tion, I'm a
was an ad - dic - tion, when we
E♭ E♭ F
man who doesn't know
cling our love is strong.
F E♭ E♭
how to sell a
When you go you're
F F Cm7
3fr
con - tra - dic - tion, you come and go,
gone for - e - ver, you string a - long.

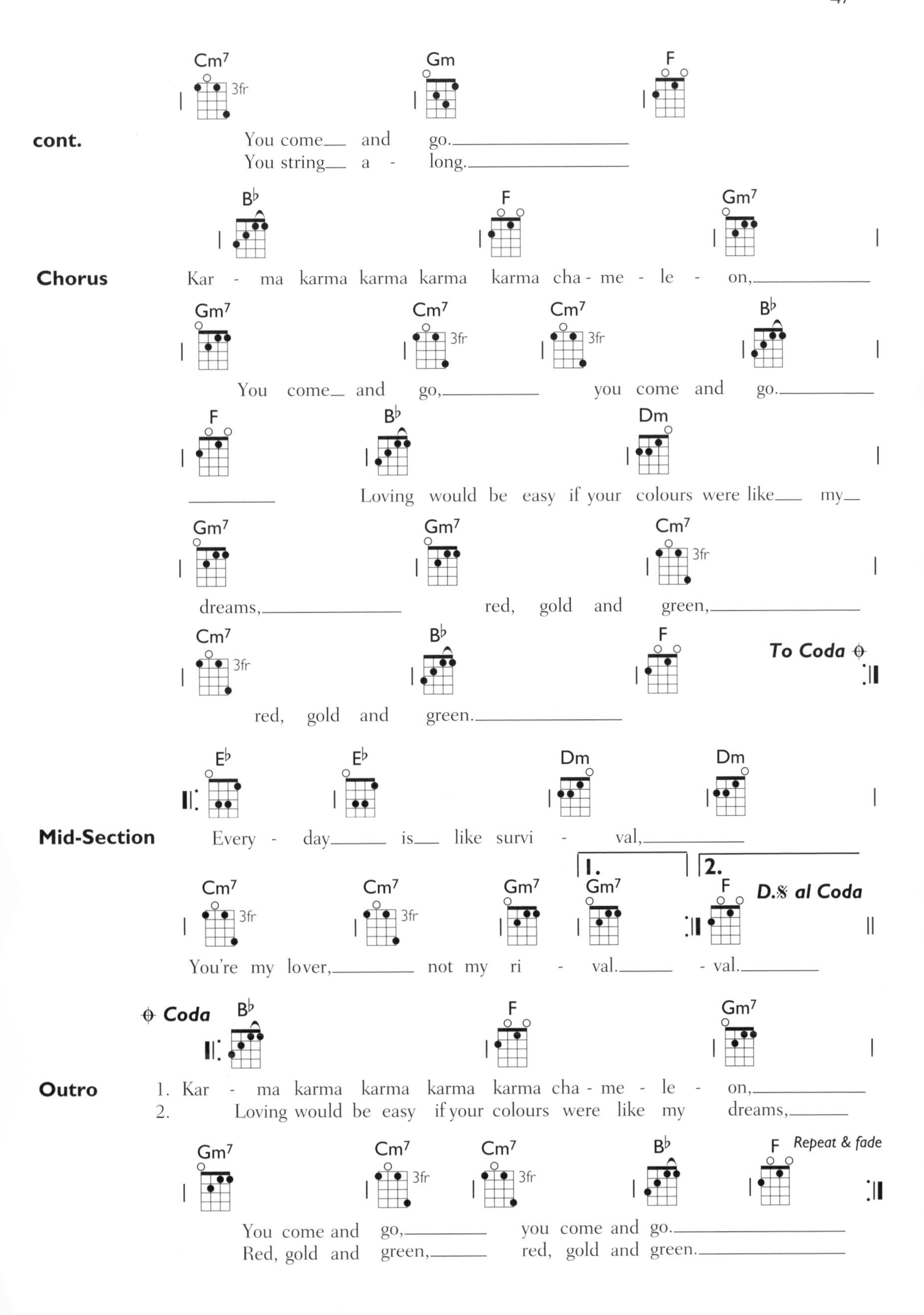
Cm7 Gm F
cont.
You come and go.
You string a - long.
B♭ F Gm7
Chorus
Kar - ma karma karma karma karma cha - me - le - on,
Gm7 Cm7 Cm7 B♭
You come and go, you come and go.
F B♭ Dm
Loving would be easy if your colours were like my
Gm7 Gm7 Cm7
dreams, red, gold and green,
Cm7 B♭ F
To Coda
red, gold and green.
E♭ E♭ Dm Dm
Mid-Section
Every - day is like survi - val,
1. 2.
Cm7 Cm7 Gm7 Gm7 F
D.𝄋 al Coda
You're my lover, not my ri - val. - val.
Coda
B♭ F Gm7
Outro
1. Kar - ma karma karma karma karma cha - me - le - on,
2. Loving would be easy if your colours were like my dreams,
Gm7 Cm7 Cm7 B♭ F
Repeat & fade
You come and go, you come and go.
Red, gold and green, red, gold and green.

MACK THE KNIFE

Words by Bertolt Brecht
Music by Kurt Weill
English Words by Marc Blitzstein

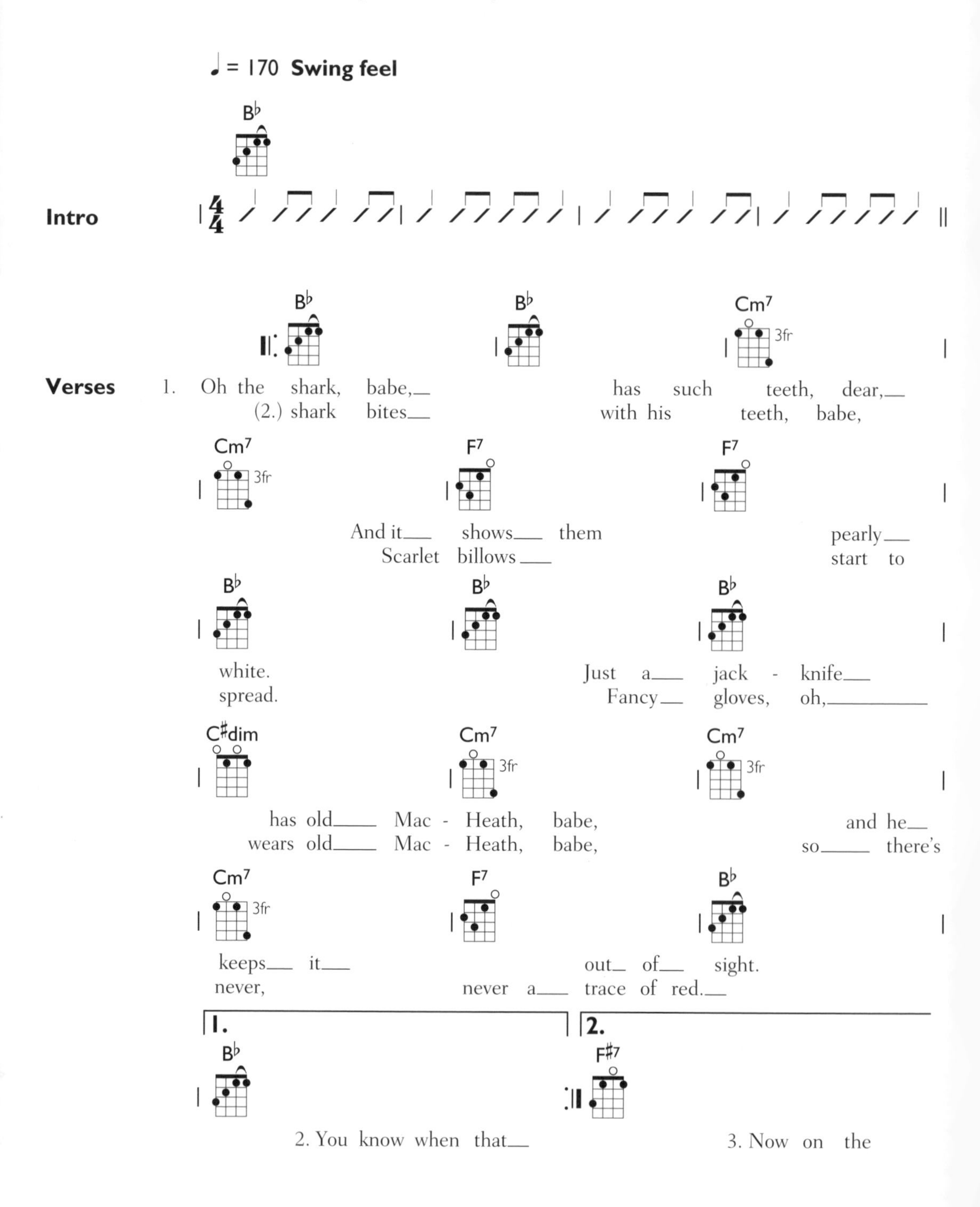
♩ = 170 Swing feel
B♭
Intro
Verses
B♭ B♭ Cm7
1. Oh the shark, babe, has such teeth, dear,
(2.) shark bites with his teeth, babe,
Cm7 F7 F7
And it shows them pearly
Scarlet billows start to
B♭ B♭ B♭
white. Just a jack - knife
spread. Fancy gloves, oh,
C♯dim Cm7 Cm7
has old Mac - Heath, babe, and he
wears old Mac - Heath, babe, so there's
Cm7 F7 B♭
keeps it out of sight.
never, never a trace of red.
1.
B♭
2. You know when that
2.
F♯7
3. Now on the

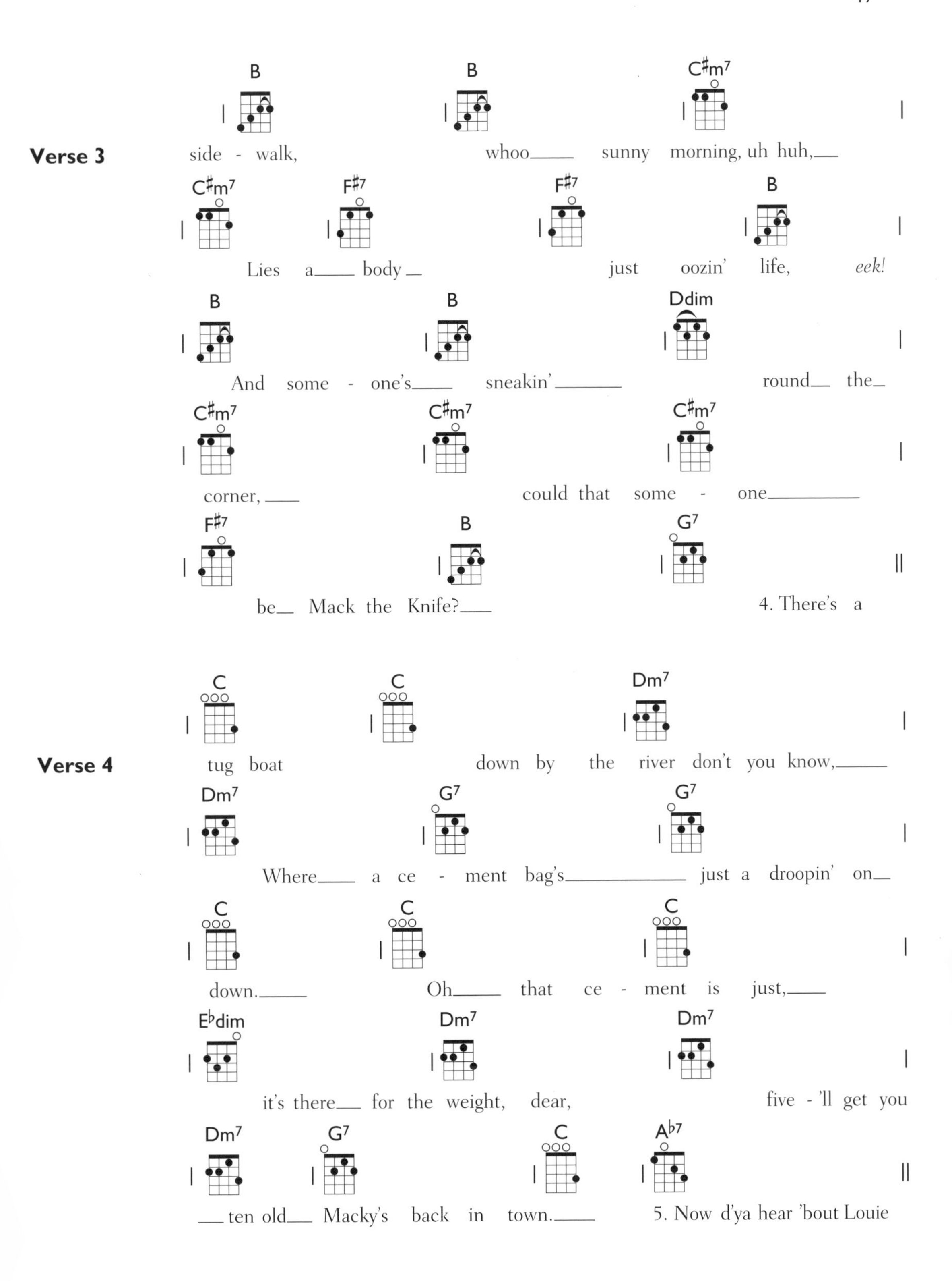

Verse 3
B B C♯m7
side - walk, whoo___ sunny morning, uh huh,___
C♯m7 F♯7 F♯7 B
Lies a___ body ___ just oozin' life, eek!
B B Ddim
And some - one's___ sneakin'___ round___ the___
C♯m7 C♯m7 C♯m7
corner, ___ could that some - one___
F♯7 B G7
be___ Mack the Knife?___ 4. There's a
Verse 4
C C Dm7
tug boat down by the river don't you know,___
Dm7 G7 G7
Where___ a ce - ment bag's___ just a droopin' on___
C C C
down.___ Oh___ that ce - ment is just,___
E♭dim Dm7 Dm7
it's there___ for the weight, dear, five - 'll get you
Dm7 G7 C A♭7
___ ten old___ Macky's back in town.___ 5. Now d'ya hear 'bout Louie

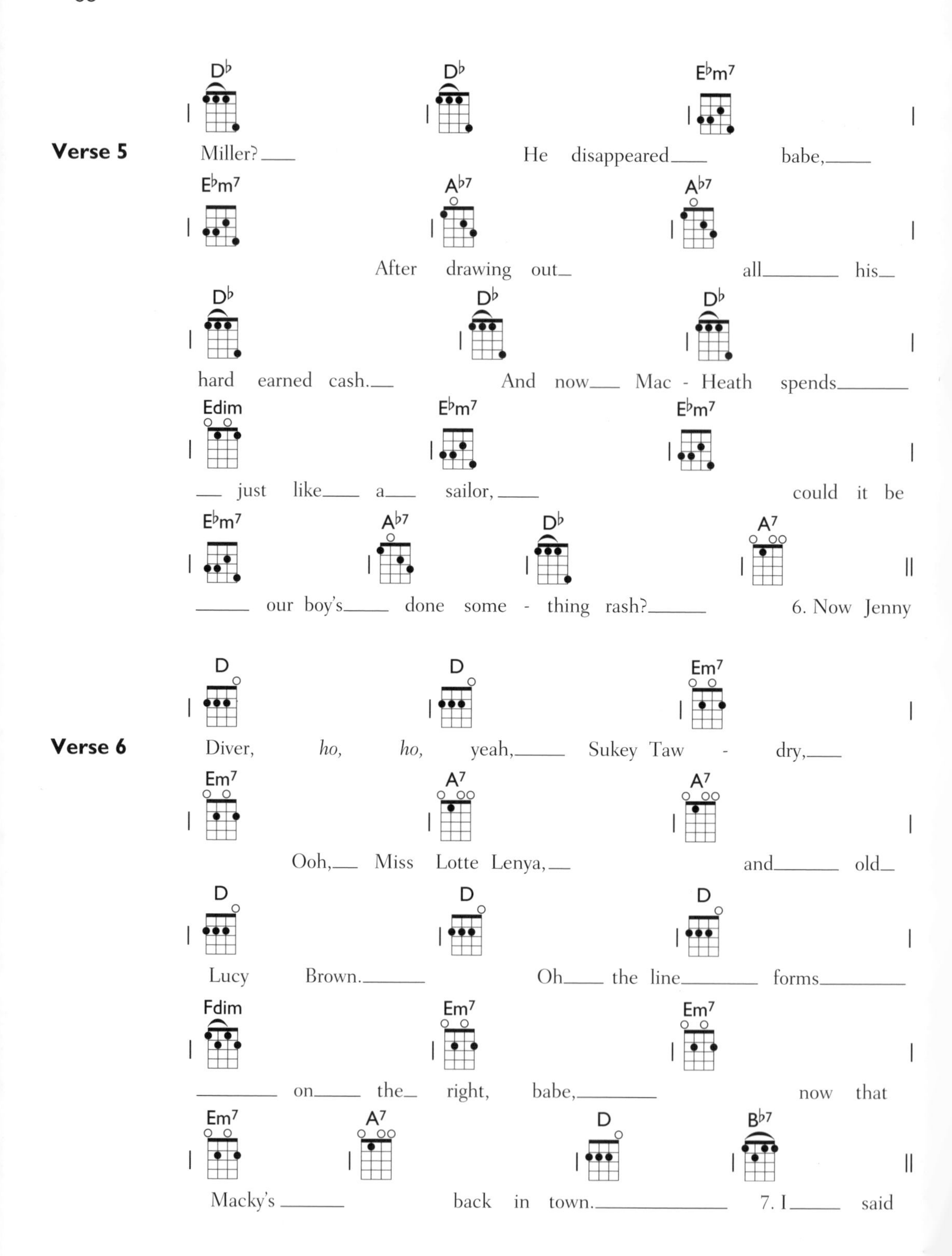
Verse 5
D♭ D♭ E♭m7
Miller? He disappeared babe,
E♭m7 A♭7 A♭7
After drawing out all his
D♭ D♭ D♭
hard earned cash. And now Mac - Heath spends
Edim E♭m7 E♭m7
just like a sailor, could it be
E♭m7 A♭7 D♭ A7
our boy's done some - thing rash? 6. Now Jenny
Verse 6
D D Em7
Diver, ho, ho, yeah, Sukey Taw - dry,
Em7 A7 A7
Ooh, Miss Lotte Lenya, and old
D D D
Lucy Brown. Oh the line forms
Fdim Em7 Em7
on the right, babe, now that
Em7 A7 D B♭7
Macky's back in town. 7. I said

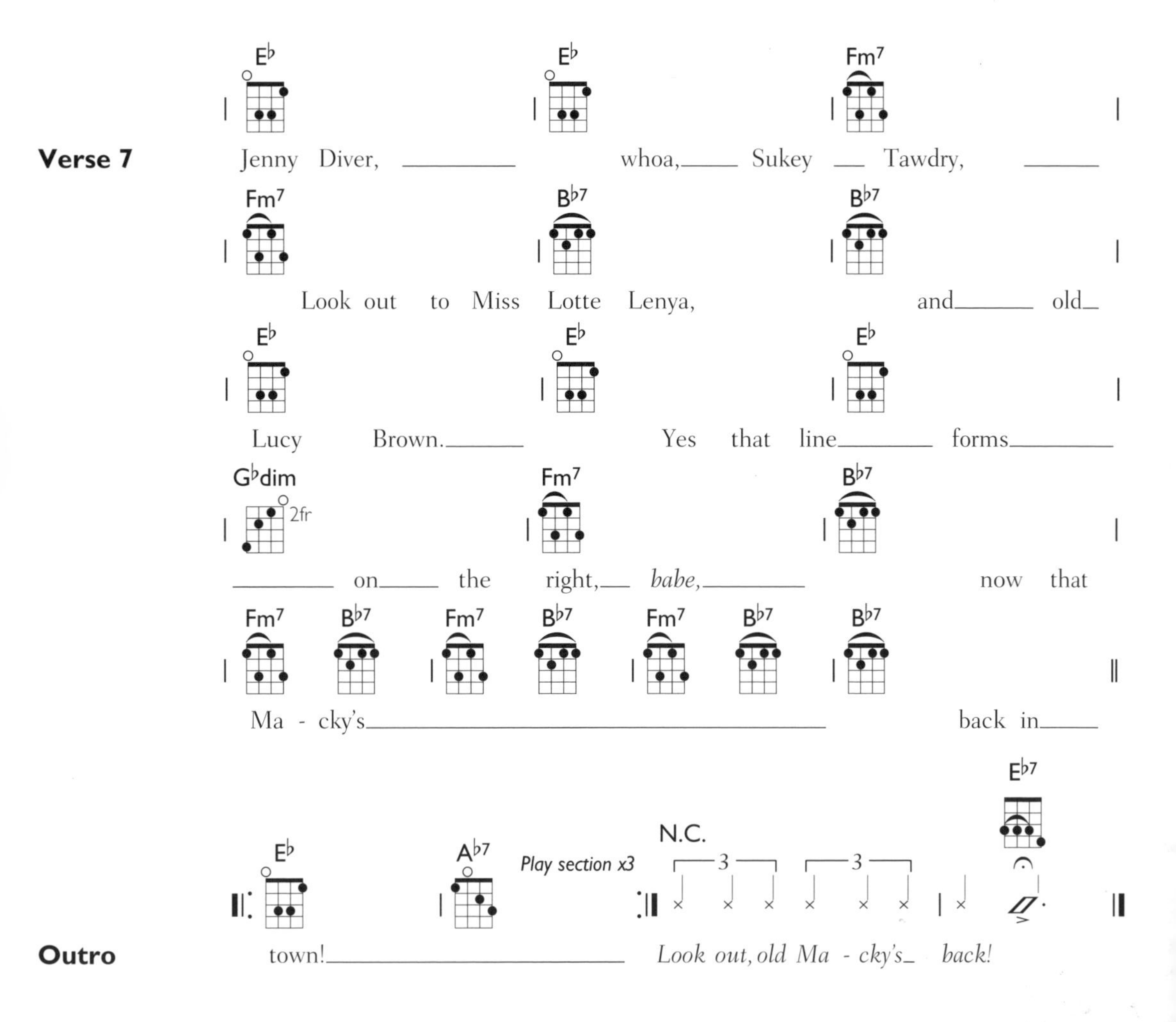
Verse 7
E♭ E♭ Fm7
Jenny Diver, whoa, Sukey Tawdry,
Fm7 B♭7 B♭7
Look out to Miss Lotte Lenya, and old
E♭ E♭ E♭
Lucy Brown. Yes that line forms
G♭dim 2fr Fm7 B♭7
on the right, babe, now that
Fm7 B♭7 Fm7 B♭7 Fm7 B♭7 B♭7
Ma - cky's back in
Outro
E♭ A♭7 Play section x3 N.C. 3 3 E♭7
town! Look out, old Ma - cky's back!

MAKING PLANS FOR NIGEL

Words and Music by Colin Moulding

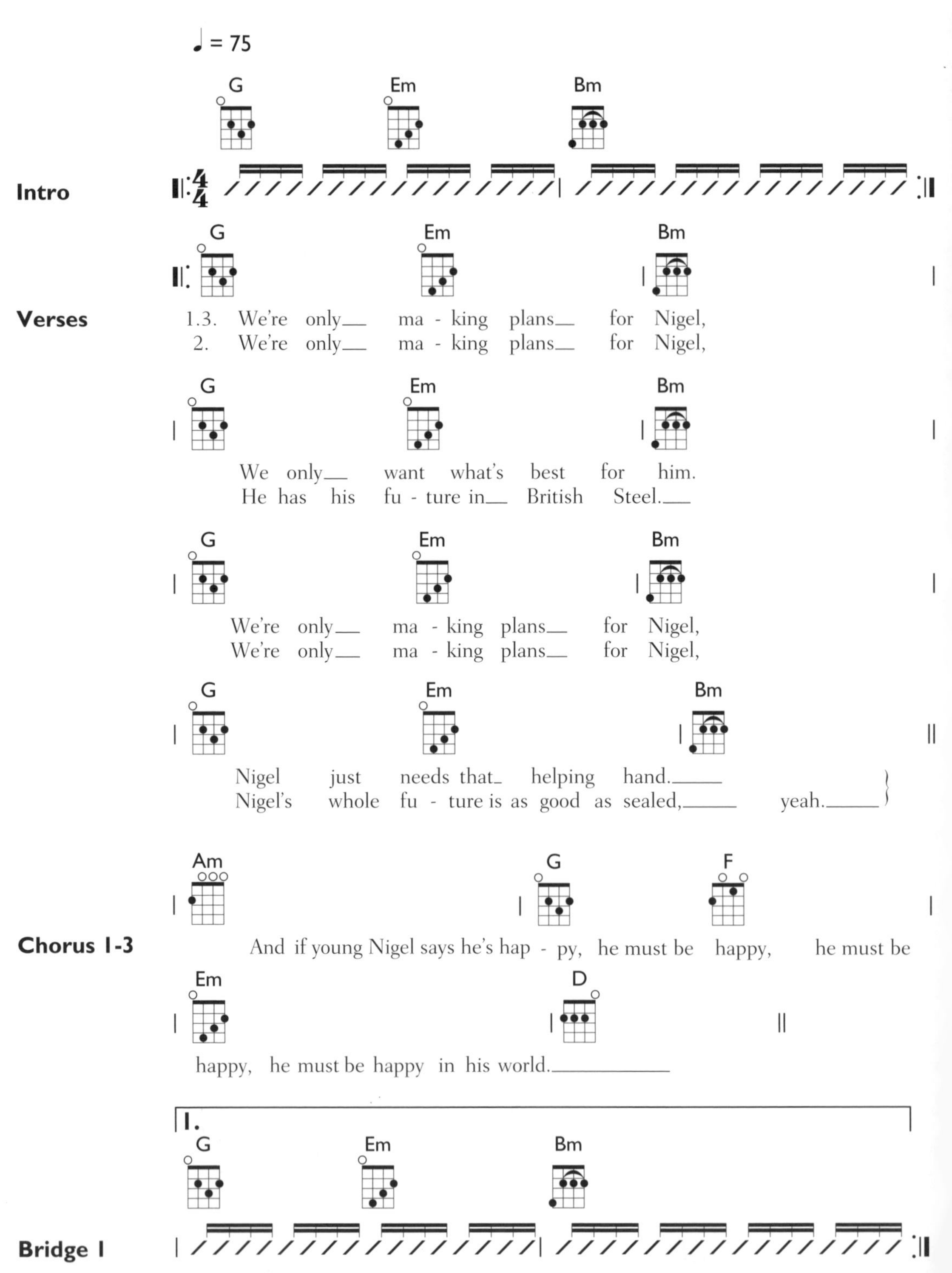
♩ = 75
Intro
G
Em
Bm
4/4
Verses
1.3. We're only ma - king plans for Nigel,
2. We're only ma - king plans for Nigel,
We only want what's best for him.
He has his fu - ture in British Steel.
We're only ma - king plans for Nigel,
We're only ma - king plans for Nigel,
Nigel just needs that helping hand.
Nigel's whole fu - ture is as good as sealed, yeah.
Chorus 1-3
Am
F
D
And if young Nigel says he's hap - py, he must be happy, he must be
happy, he must be happy in his world.
1.
Bridge 1

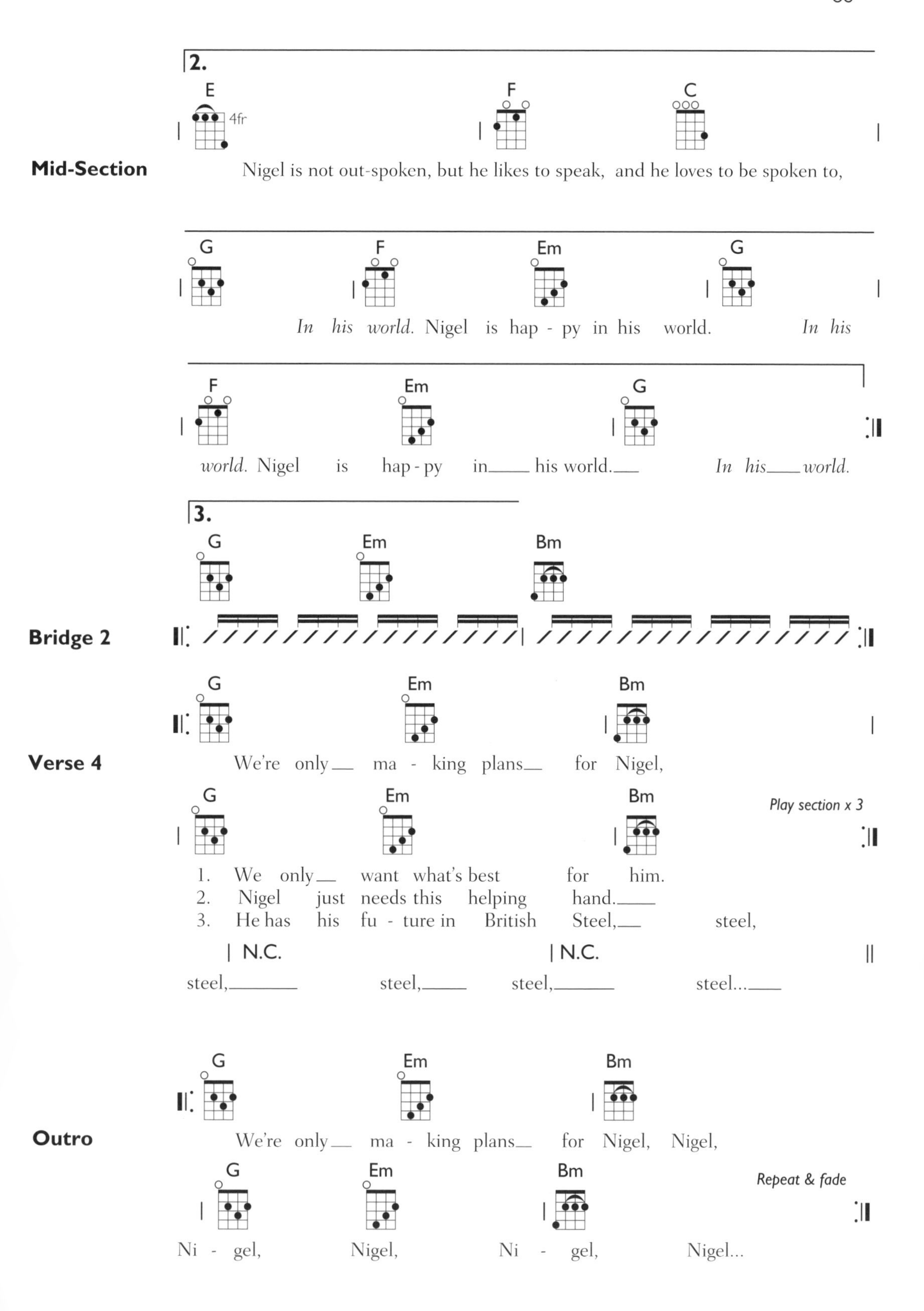
2.
E F C
4fr
Mid-Section
Nigel is not out-spoken, but he likes to speak, and he loves to be spoken to,
G F Em G
In his world. Nigel is hap - py in his world. In his
F Em G
world. Nigel is hap - py in his world. In his world.
3.
G Em Bm
Bridge 2
G Em Bm
Verse 4
We're only ma - king plans for Nigel,
G Em Bm
Play section x 3
1. We only want what's best for him.
2. Nigel just needs this helping hand.
3. He has his fu - ture in British Steel, steel,
N.C. N.C.
steel, steel, steel, steel...
G Em Bm
Outro
We're only ma - king plans for Nigel, Nigel,
G Em Bm
Repeat & fade
Ni - gel, Nigel, Ni - gel, Nigel...

MMM BOP

Words and Music by Isaac Hanson,
Taylor Hanson and Zachary Hanson

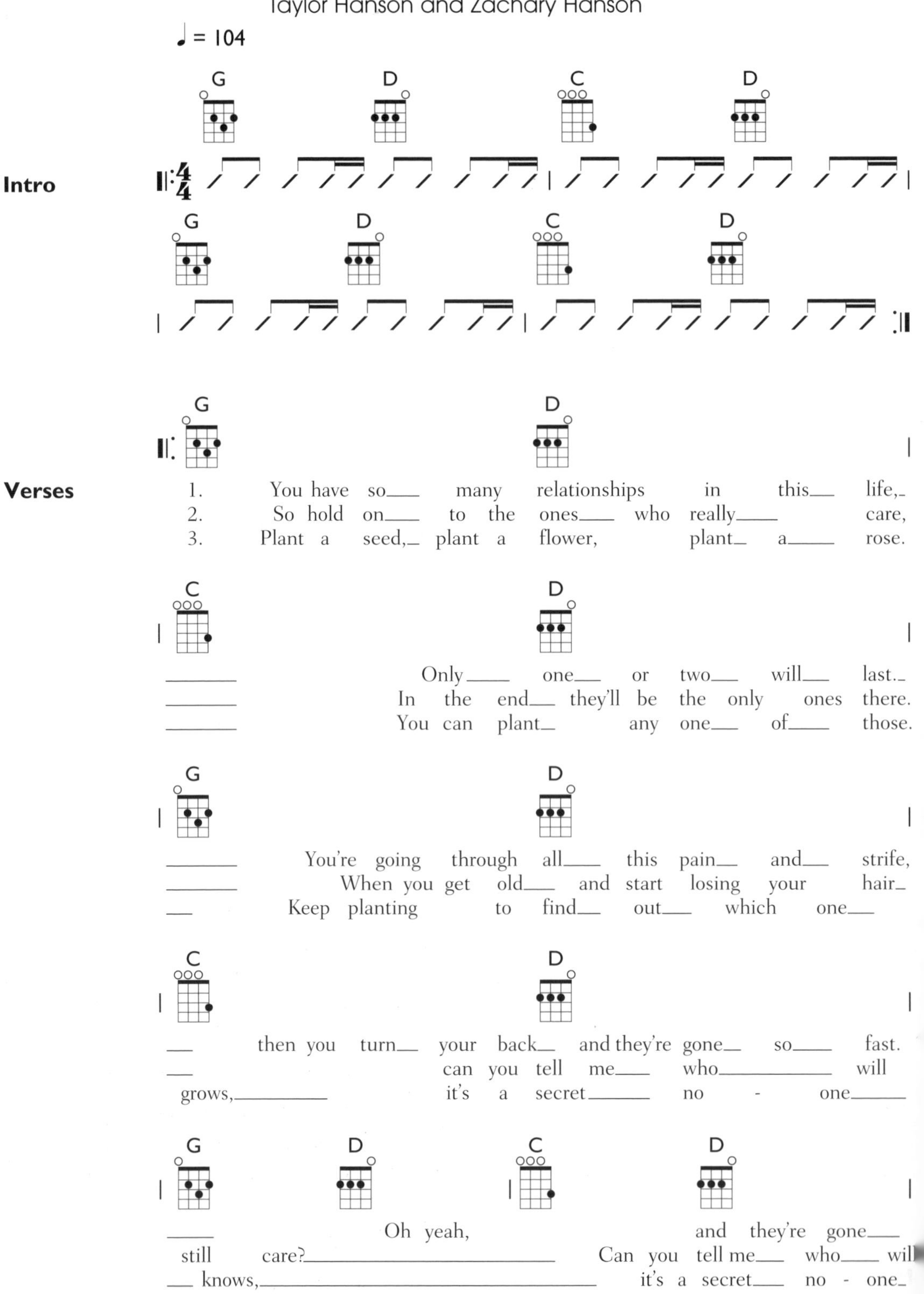
♩ = 104
Intro
G D C D
G D C D
Verses
G D
1. You have so many relationships in this life,
2. So hold on to the ones who really care,
3. Plant a seed, plant a flower, plant a rose.
C D
Only one or two will last.
In the end they'll be the only ones there.
You can plant any one of those.
G D
You're going through all this pain and strife,
When you get old and start losing your hair
Keep planting to find out which one
C D
then you turn your back and they're gone so fast.
can you tell me who will
grows, it's a secret no - one
G D C D
Oh yeah, and they're gone
still care? Can you tell me who wil
knows, it's a secret no - one

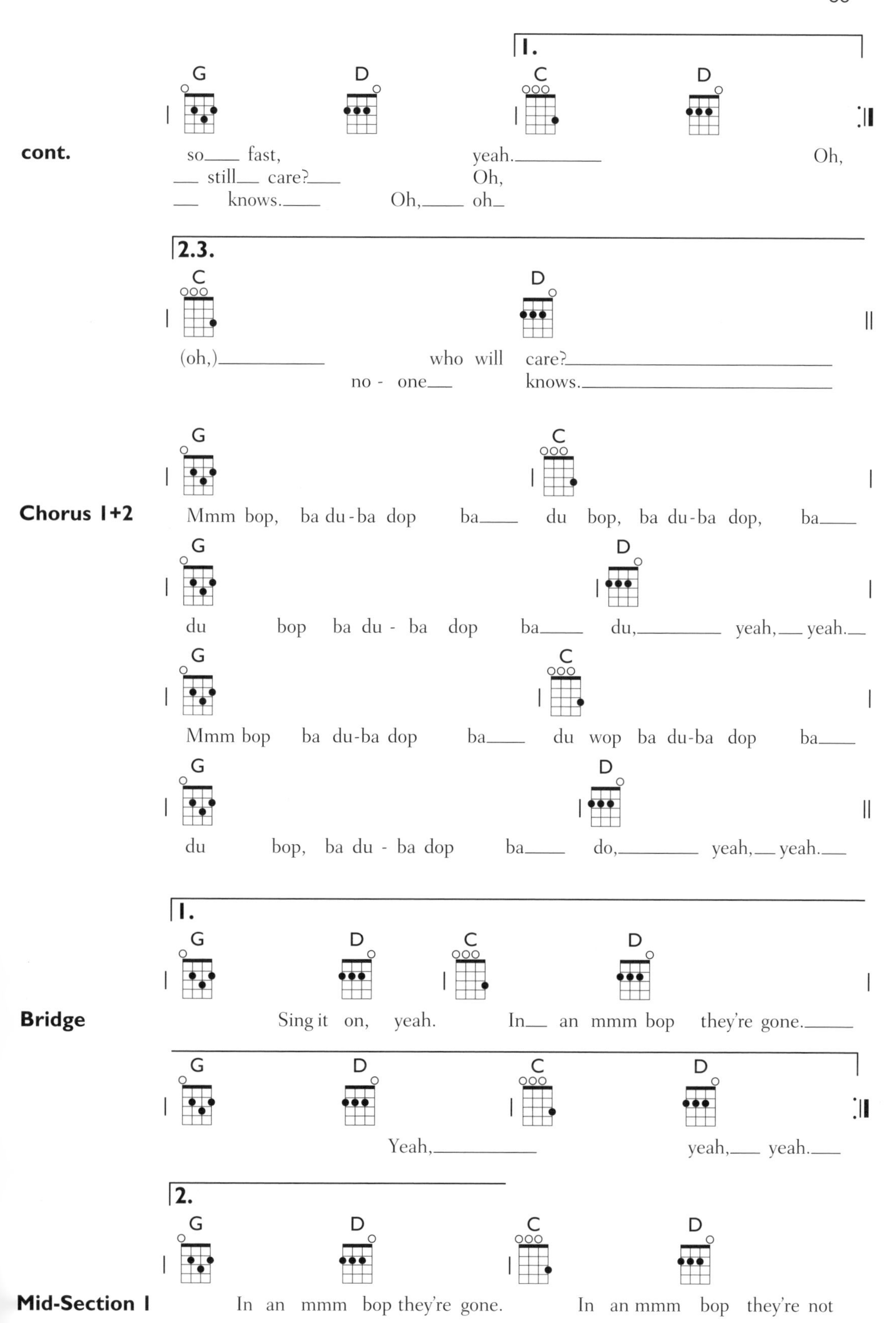
1.
G
D
C
D
cont.
so___ fast,
yeah.___
Oh,
___ still___ care?___
Oh,
___ knows.___
Oh,___ oh_
2.3.
C
D
(oh,)___
who will care?___
no - one___
knows.___
G
C
Chorus 1+2
Mmm bop, ba du-ba dop ba___ du bop, ba du-ba dop, ba___
G
D
du bop ba du - ba dop ba___ du,___ yeah,___ yeah.___
G
C
Mmm bop ba du-ba dop ba___ du wop ba du-ba dop ba___
G
D
du bop, ba du - ba dop ba___ do,___ yeah,___ yeah.___
1.
G
D
C
D
Bridge
Sing it on, yeah. In___ an mmm bop they're gone.___
G
D
C
D
Yeah,___ yeah,___ yeah.___
2.
G
D
C
D
Mid-Section 1
In an mmm bop they're gone. In an mmm bop they're not

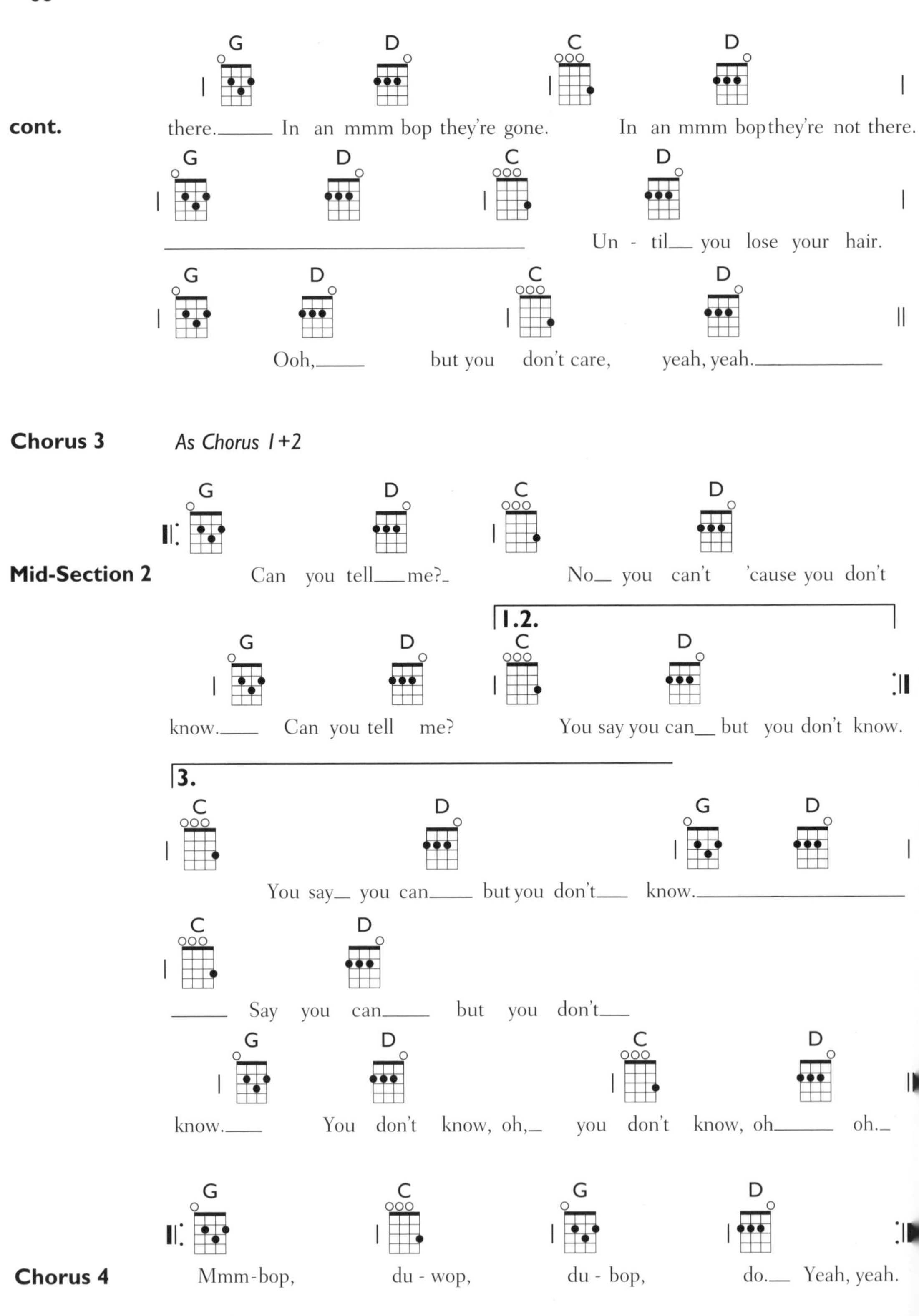

cont.
G D C D
there.___ In an mmm bop they're gone. In an mmm bop they're not there.
G D C D
___ Un - til__ you lose your hair.
G D C D
Ooh,___ but you don't care, yeah, yeah.___
Chorus 3
As Chorus 1+2
Mid-Section 2
G D C D
Can you tell__me?_ No__ you can't 'cause you don't
G D
know.___ Can you tell me?
1.2.
C D
You say you can__ but you don't know.
3.
C D G D
You say__ you can___ but you don't___ know.___
C D
___ Say you can___ but you don't___
G D C D
know.___ You don't know, oh,_ you don't know, oh___ oh._
Chorus 4
G C G D
Mmm-bop, du - wop, du - bop, do.__ Yeah, yeah.

Chorus 5 *As Chorus 1+2 (x2)*

Outro

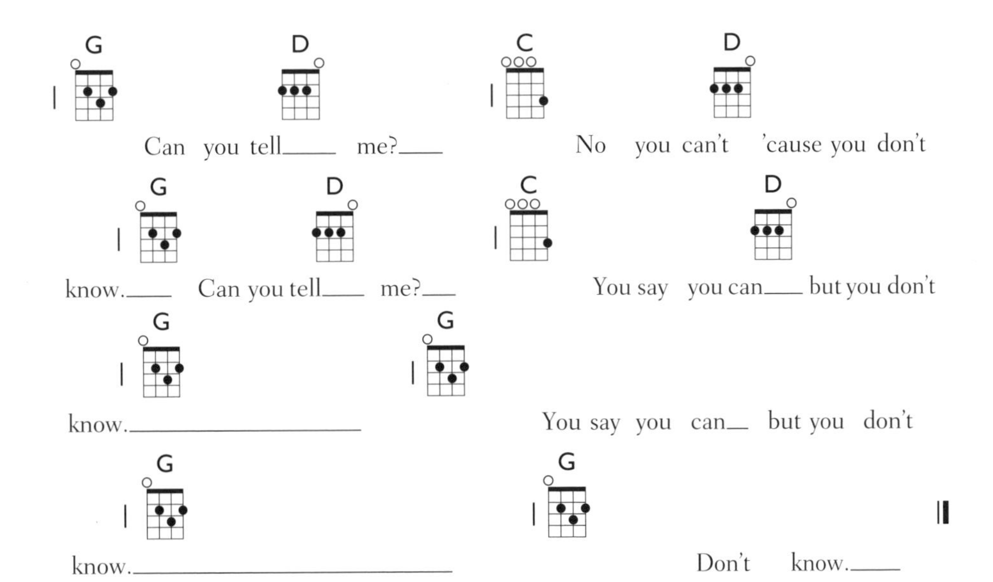
G D C D
Can you tell___ me?___ No you can't 'cause you don't
G D C D
know.___ Can you tell___ me?___ You say you can___ but you don't
G G
know.___ You say you can__ but you don't
G G
know.___ Don't know.___

MY GIRL

Words and Music by Michael Barson

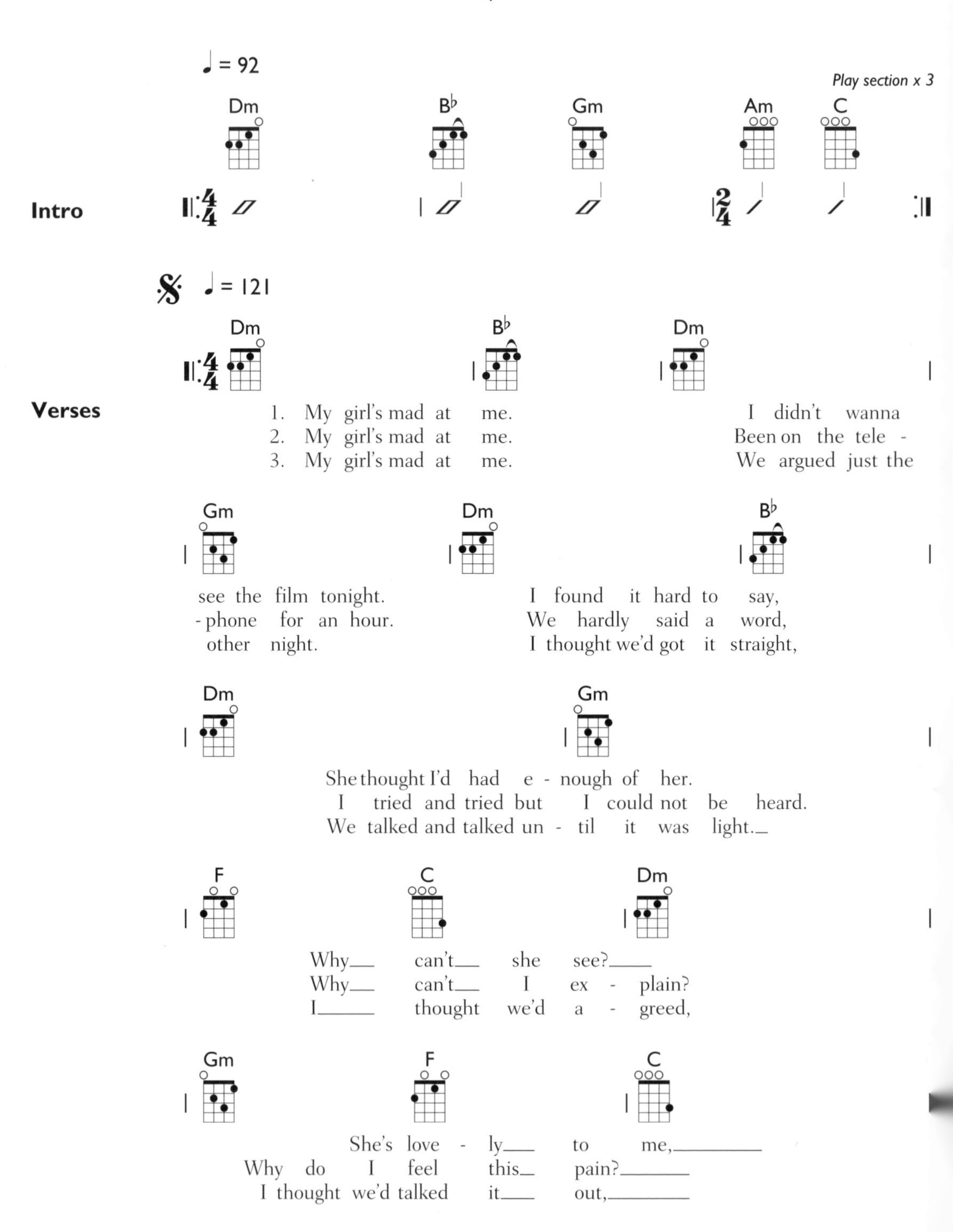
♩ = 92
Play section x 3
Dm Bb Gm Am C
Intro
♩ = 121
Dm Bb Dm
Verses
1. My girl's mad at me. I didn't wanna
2. My girl's mad at me. Been on the tele -
3. My girl's mad at me. We argued just the
Gm Dm Bb
see the film tonight. I found it hard to say,
- phone for an hour. We hardly said a word,
other night. I thought we'd got it straight,
Dm Gm
She thought I'd had e - nough of her.
I tried and tried but I could not be heard.
We talked and talked un - til it was light.
F C Dm
Why can't she see?
Why can't I ex - plain?
I thought we'd a - greed,
Gm F C
She's love - ly to me,
Why do I feel this pain?
I thought we'd talked it out,

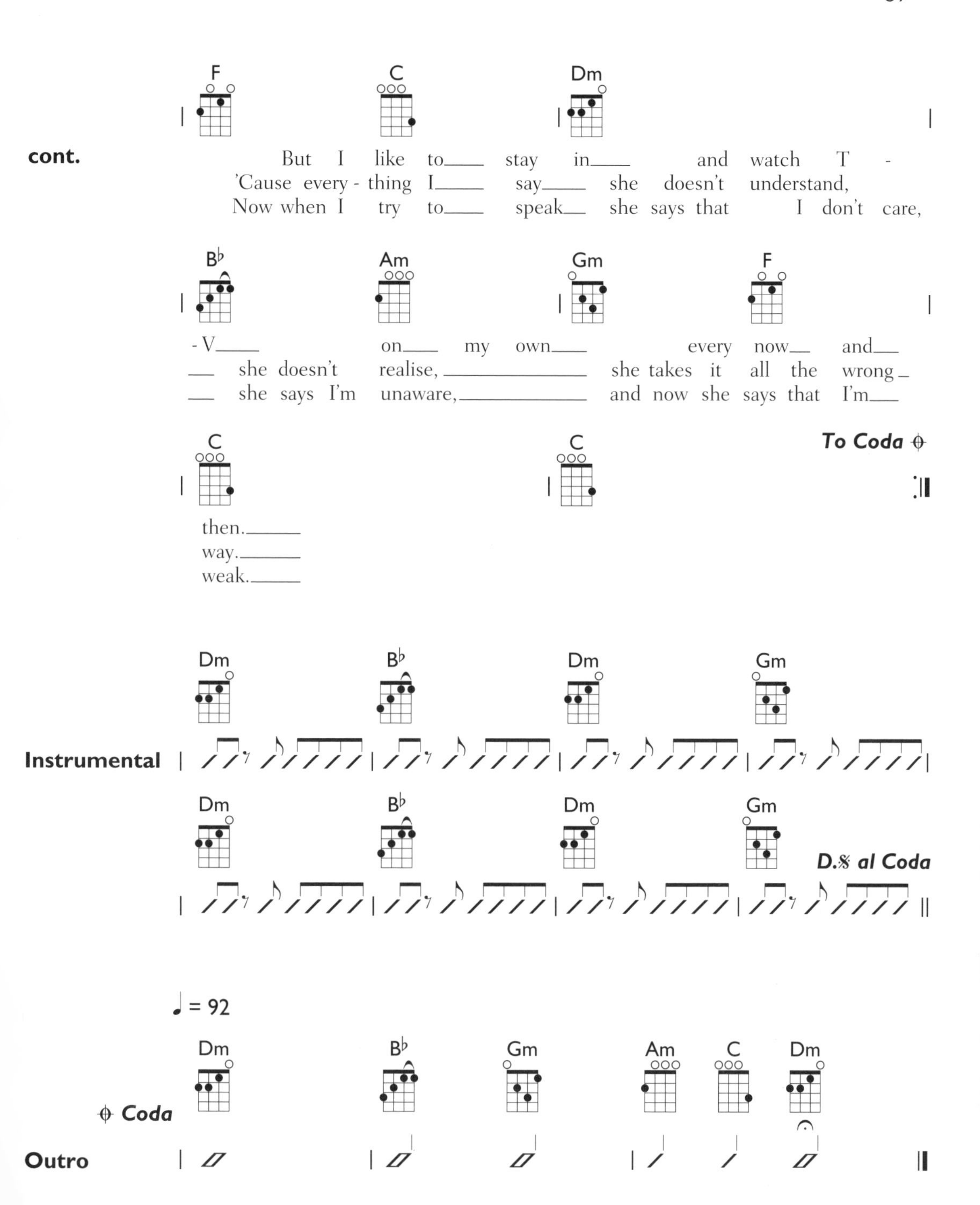
F C Dm
cont.
But I like to stay in and watch T-
'Cause every-thing I say she doesn't understand,
Now when I try to speak she says that I don't care,
B♭ Am Gm F
-V on my own every now and
she doesn't realise, she takes it all the wrong
she says I'm unaware, and now she says that I'm
C C
To Coda
then.
way.
weak.
Dm B♭ Dm Gm
Instrumental
Dm B♭ Dm Gm
D.S al Coda
♩ = 92
Dm B♭ Gm Am C Dm
Coda
Outro

MY WAY

Original Words by Giles Thibaut
English Adaptation by Paul Anka
Music by Jacques Revaux and Claude François

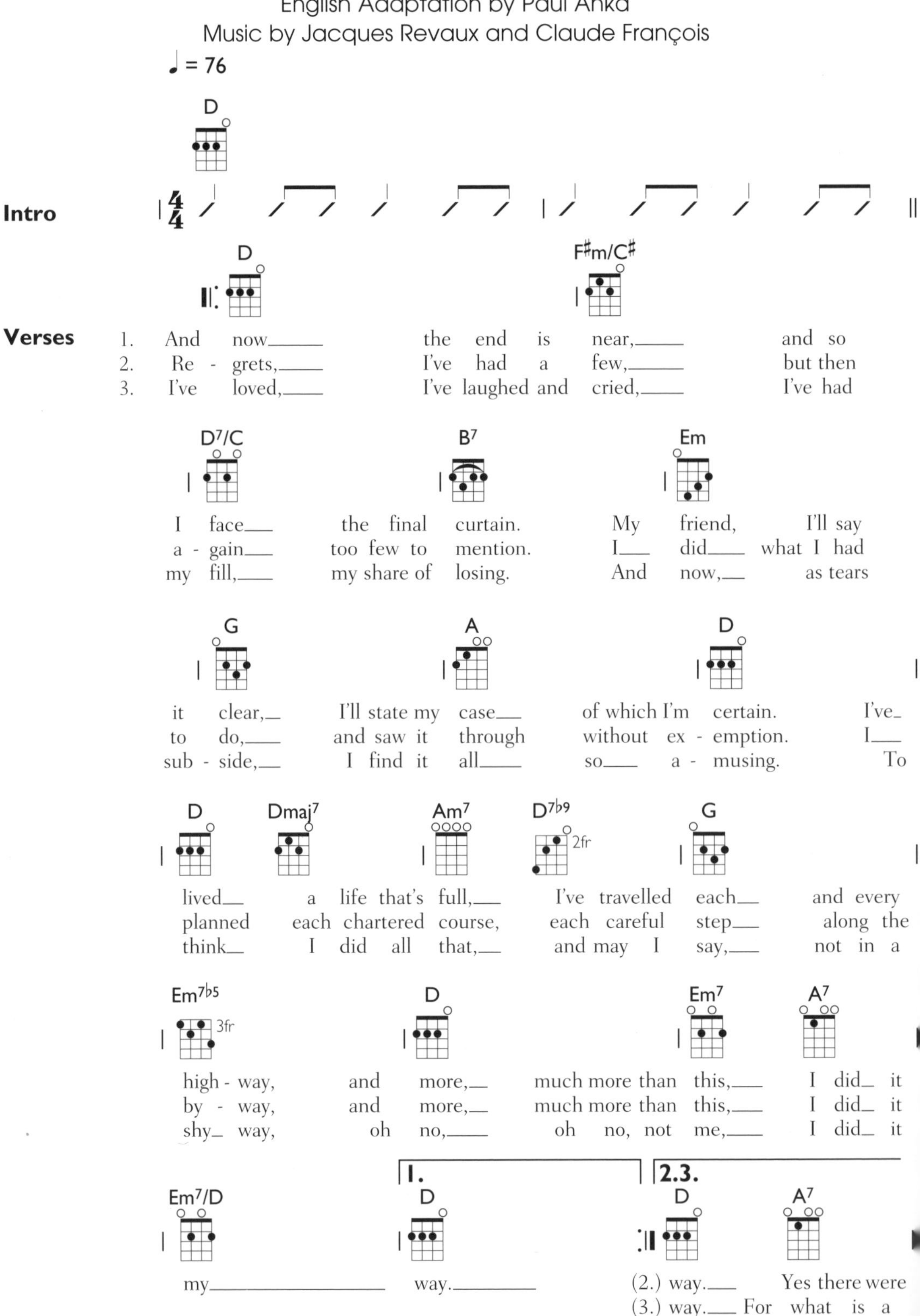
♩ = 76
D
Intro
4/4
D
F♯m/C♯
Verses
1. And now the end is near, and so
2. Re - grets, I've had a few, but then
3. I've loved, I've laughed and cried, I've had
D7/C
B7
Em
I face the final curtain. My friend, I'll say
a - gain too few to mention. I did what I had
my fill, my share of losing. And now, as tears
G
A
D
it clear, I'll state my case of which I'm certain. I've
to do, and saw it through without ex - emption. I
sub - side, I find it all so a - musing. To
D
Dmaj7
Am7
D7♭9
2fr
G
lived a life that's full, I've travelled each and every
planned each chartered course, each careful step along the
think I did all that, and may I say, not in a
Em7♭5
3fr
D
Em7
A7
high - way, and more, much more than this, I did it
by - way, and more, much more than this, I did it
shy way, oh no, oh no, not me, I did it
1.
2.3.
Em7/D
D
D
A7
my way.
(2.) way. Yes there were
(3.) way. For what is a

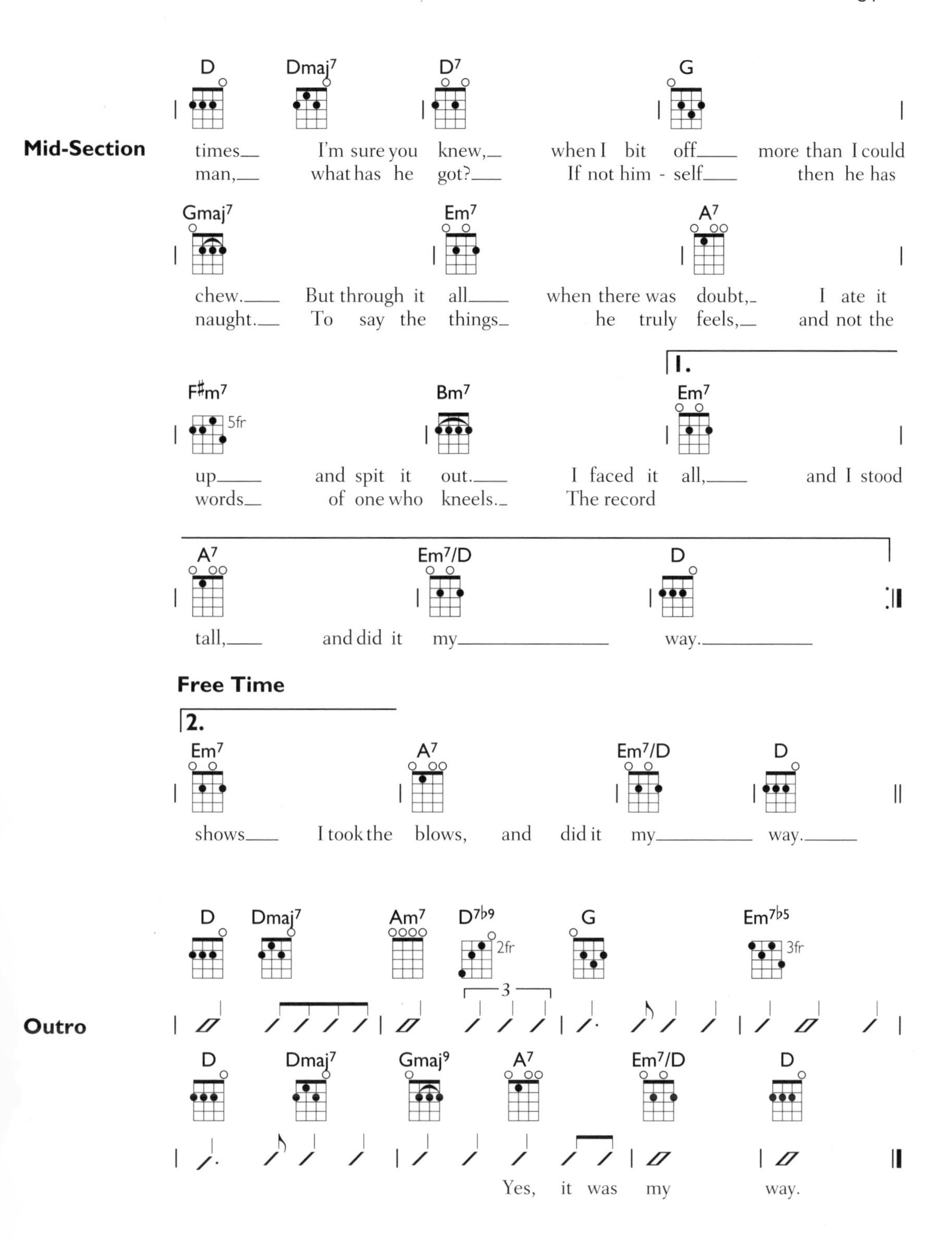
Mid-Section
D Dmaj7 D7 G
times___ I'm sure you knew,___ when I bit off___ more than I could
man,___ what has he got?___ If not him - self___ then he has
Gmaj7 Em7 A7
chew.___ But through it all___ when there was doubt,___ I ate it
naught.___ To say the things___ he truly feels,___ and not the
F♯m7 5fr Bm7 1. Em7
up___ and spit it out.___ I faced it all,___ and I stood
words___ of one who kneels.___ The record
A7 Em7/D D
tall,___ and did it my___ way.___
Free Time
2.
Em7 A7 Em7/D D
shows___ I took the blows, and did it my___ way.___
Outro
D Dmaj7 Am7 D7♭9 2fr G Em7♭5 3fr
3
D Dmaj7 Gmaj9 A7 Em7/D D
Yes, it was my way.

NO SURPRISES

Words and Music by Thomas Yorke, Jonathan Greenwood,
Philip Selway, Colin Greenwood and Edward O'Brien

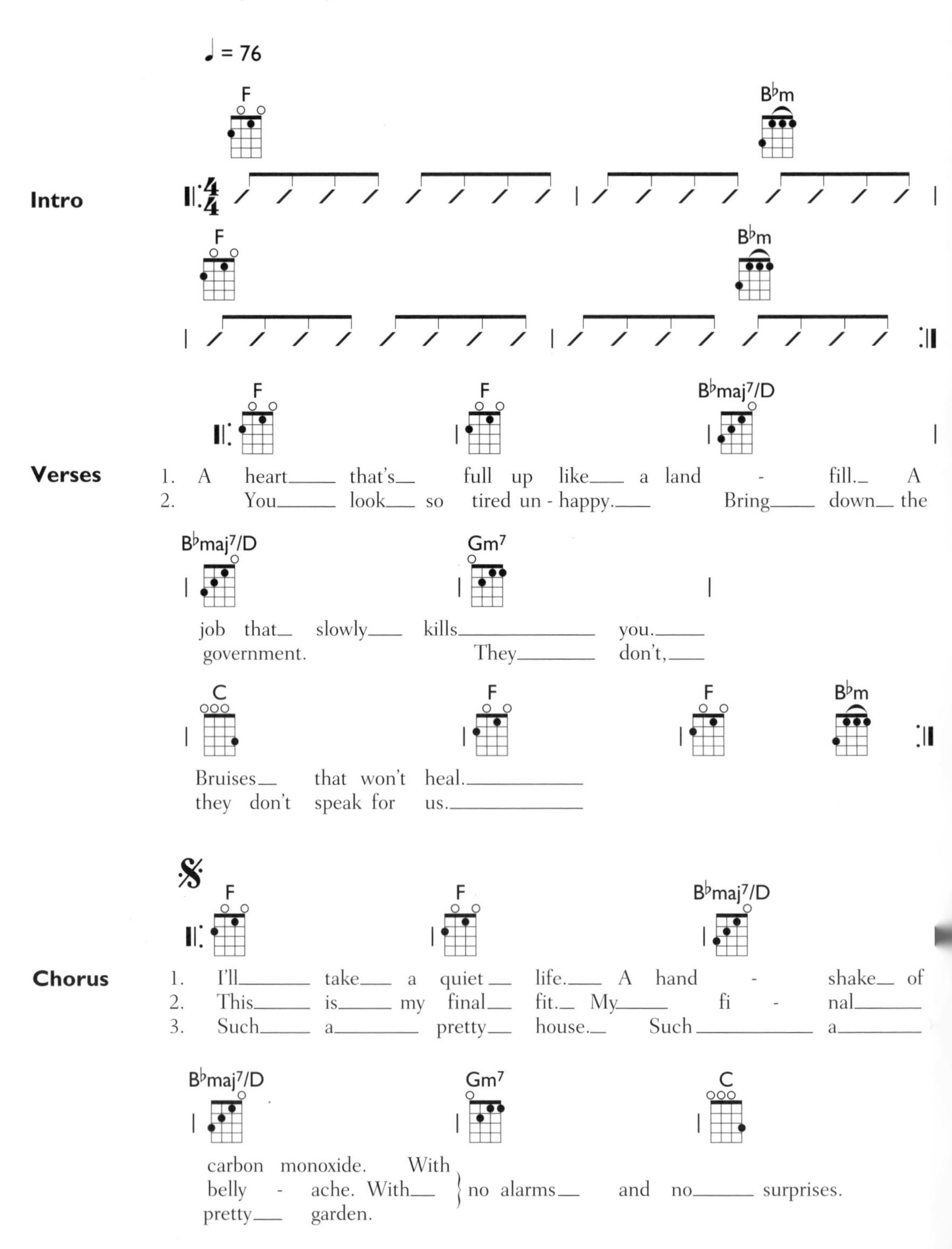
♩ = 76
Intro
F
B♭m
F
B♭m
Verses
F
F
B♭maj7/D
1. A heart___ that's___ full up like___ a land - fill.___ A
2. You___ look___ so tired un - happy.___ Bring___ down___ the
B♭maj7/D
Gm7
job that___ slowly___ kills___ you.___
government. They___ don't,___
C
F
F
B♭m
Bruises___ that won't heal.___
they don't speak for us.___
Chorus
F
F
B♭maj7/D
1. I'll___ take___ a quiet___ life.___ A hand - shake___ of
2. This___ is___ my final___ fit.___ My___ fi - nal___
3. Such___ a___ pretty___ house.___ Such___ a___
B♭maj7/D
Gm7
C
carbon monoxide. With
belly - ache. With___
pretty___ garden.
no alarms___ and no___ surprises.

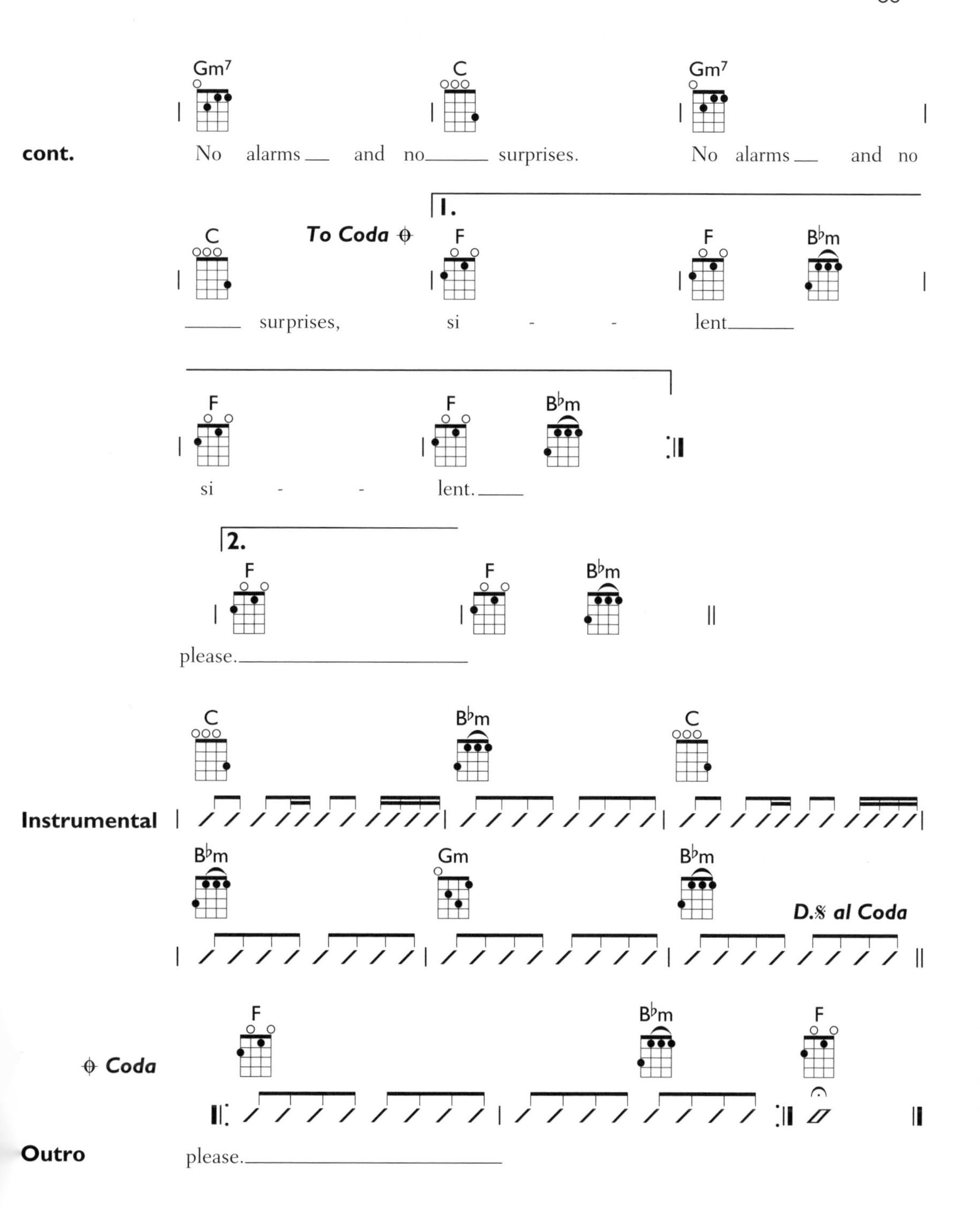
Gm7
C
Gm7
cont.
No alarms and no surprises. No alarms and no
C
To Coda
1.
F
F
B♭m
surprises, si - - lent
F
F
B♭m
si - - lent.
2.
F
F
B♭m
please.
C
B♭m
C
Instrumental
B♭m
Gm
B♭m
D.𝄋 al Coda
F
B♭m
F
Coda

Outro please.

LOVE IS A LOSING GAME

Words and Music by Amy Winehouse

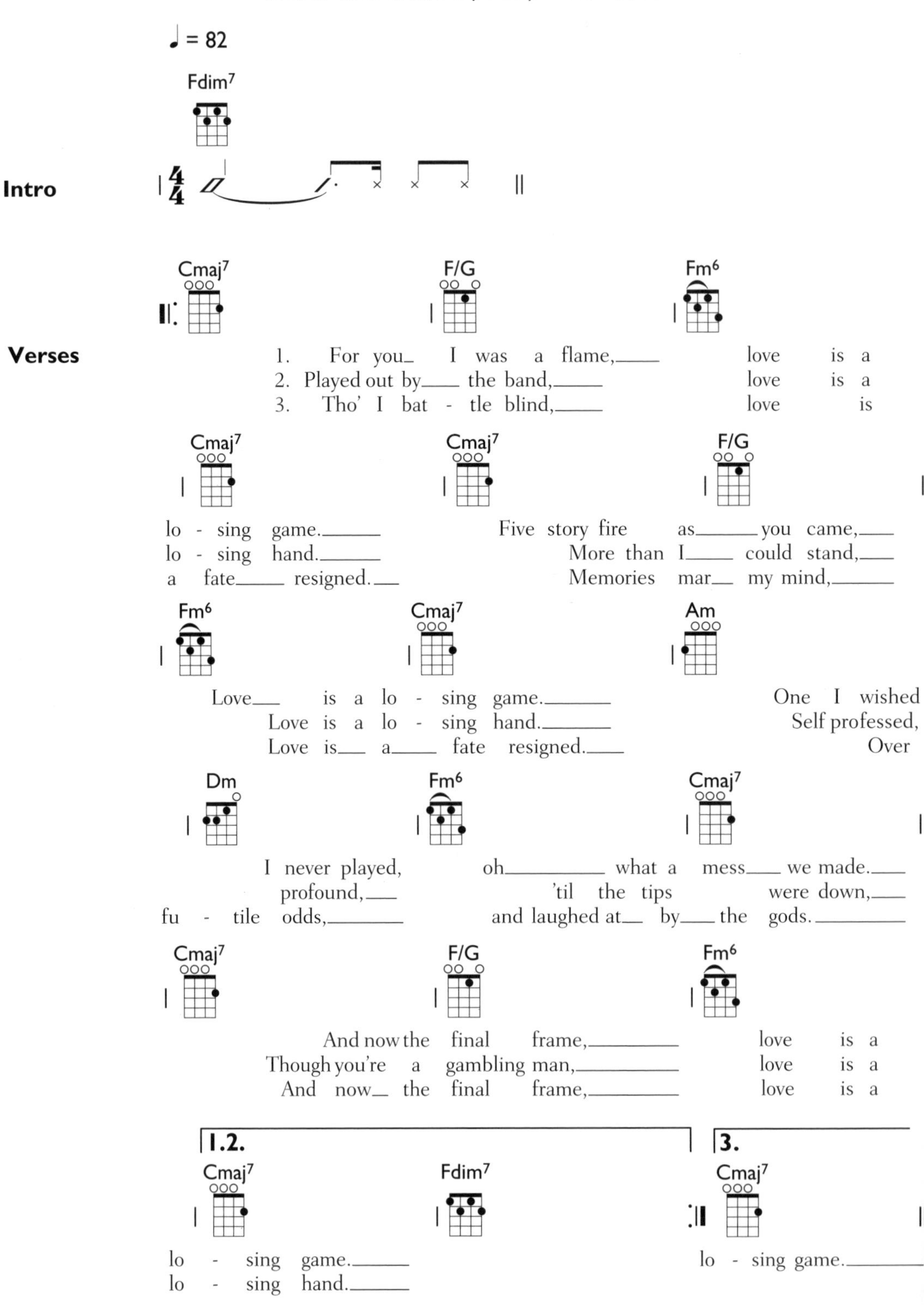
♩ = 82
Fdim7
Intro
Cmaj7
F/G
Fm6
Verses
1. For you I was a flame, love is a
2. Played out by the band, love is a
3. Tho' I bat - tle blind, love is
Cmaj7
Cmaj7
F/G
lo - sing game. Five story fire as you came,
lo - sing hand. More than I could stand,
a fate resigned. Memories mar my mind,
Fm6
Cmaj7
Am
Love is a lo - sing game. One I wished
Love is a lo - sing hand. Self professed,
Love is a fate resigned. Over
Dm
Fm6
Cmaj7
I never played, oh what a mess we made.
profound, 'til the tips were down,
fu - tile odds, and laughed at by the gods.
Cmaj7
F/G
Fm6
And now the final frame, love is a
Though you're a gambling man, love is a
And now the final frame, love is a
1.2.
Cmaj7
Fdim7
3.
Cmaj7
lo - sing game.
lo - sing hand.
lo - sing game.

SMOKE ON THE WATER

Words and Music by Jon Lord, Ritchie Blackmore,
Ian Gillan, Roger Glover and Ian Paice

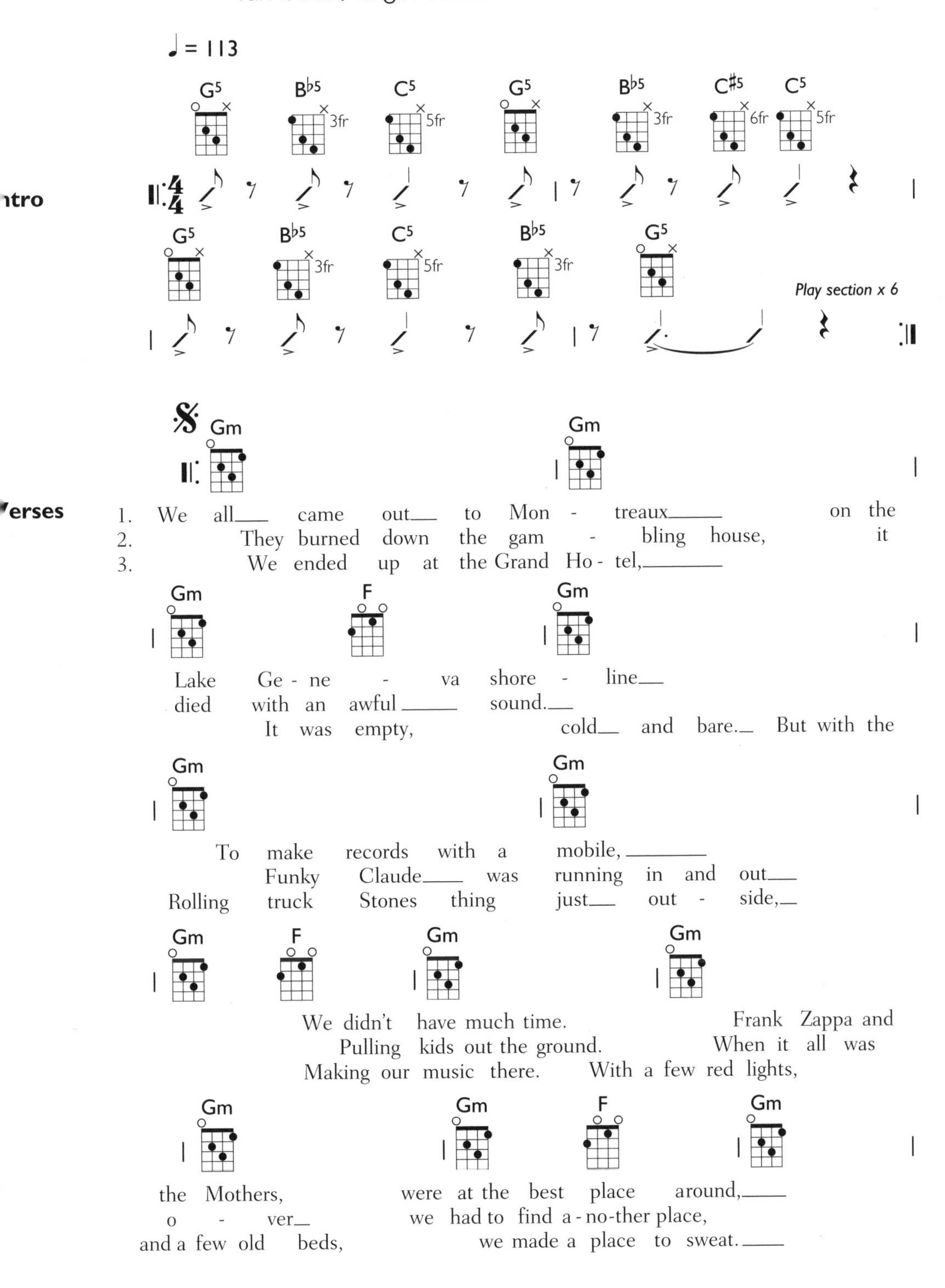
♩ = 113
G5 B♭5 3fr C5 5fr G5 B♭5 3fr C♯5 6fr C5 5fr
Intro
G5 B♭5 3fr C5 5fr B♭5 3fr G5
Play section x 6
Gm Gm
Verses
1. We all came out to Mon - treaux on the
2. They burned down the gam - bling house, it
3. We ended up at the Grand Ho - tel,
Gm F Gm
Lake Ge - ne - va shore - line
died with an awful sound.
It was empty, cold and bare. But with the
Gm Gm
To make records with a mobile,
Funky Claude was running in and out
Rolling truck Stones thing just out - side,
Gm F Gm Gm
We didn't have much time. Frank Zappa and
Pulling kids out the ground. When it all was
Making our music there. With a few red lights,
Gm Gm F Gm
the Mothers, were at the best place around,
o - ver we had to find a - no-ther place,
and a few old beds, we made a place to sweat.

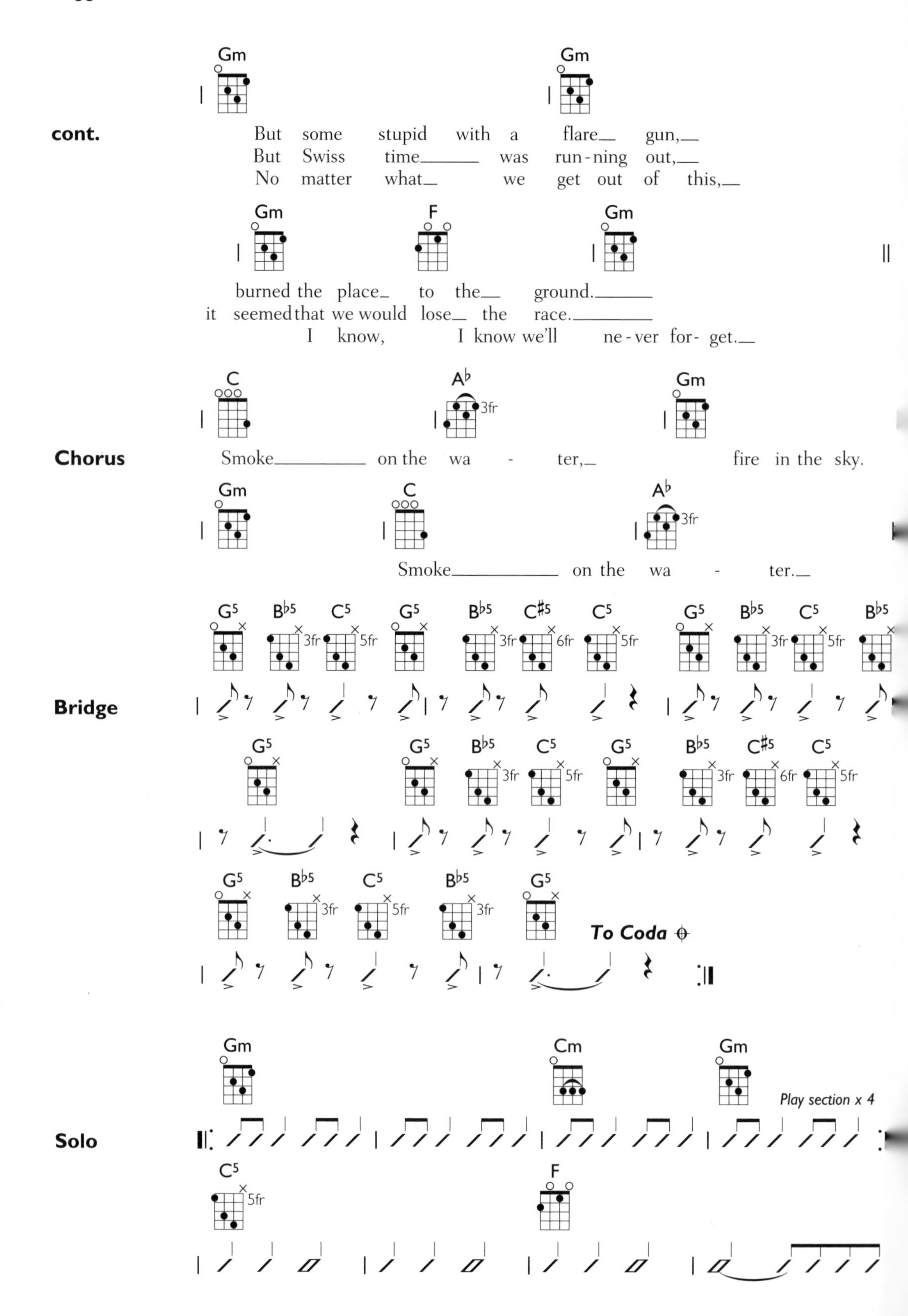
cont.
Gm Gm
But some stupid with a flare gun,
But Swiss time was run-ning out,
No matter what we get out of this,
Gm F Gm
burned the place to the ground.
it seemed that we would lose the race.
I know, I know we'll ne-ver for-get.
Chorus
C A♭ 3fr Gm
Smoke on the wa - ter, fire in the sky.
Gm C A♭ 3fr
Smoke on the wa - ter.
Bridge
G5 B♭5 3fr C5 5fr G5 B♭5 3fr C♯5 6fr C5 5fr G5 B♭5 3fr C5 5fr B♭5
G5 G5 B♭5 3fr C5 5fr G5 B♭5 3fr C♯5 6fr C5 5fr
G5 B♭5 3fr C5 5fr B♭5 3fr G5
To Coda
Solo
Gm Cm Gm
Play section x 4
C5 5fr F

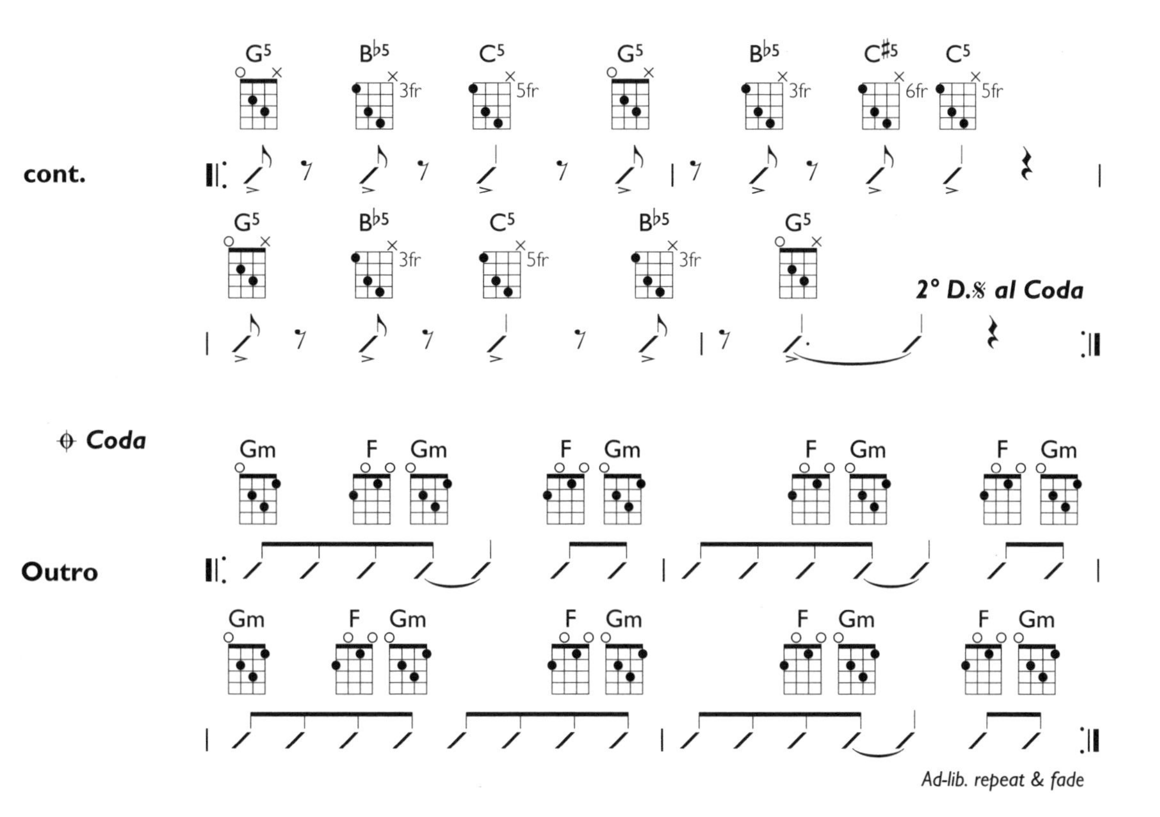
cont.
G5 B♭5 C5 G5 B♭5 C♯5 C5
3fr 5fr 3fr 6fr 5fr
G5 B♭5 C5 B♭5 G5
3fr 5fr 3fr
2° D.𝄋 al Coda
𝄌 Coda
Outro
Gm F Gm F Gm F Gm F Gm
Gm F Gm F Gm F Gm F Gm
Ad-lib. repeat & fade

SAVE ALL YOUR KISSES FOR ME

Words and Music by Tony Hiller, Martin Lee and Lee Sheriden

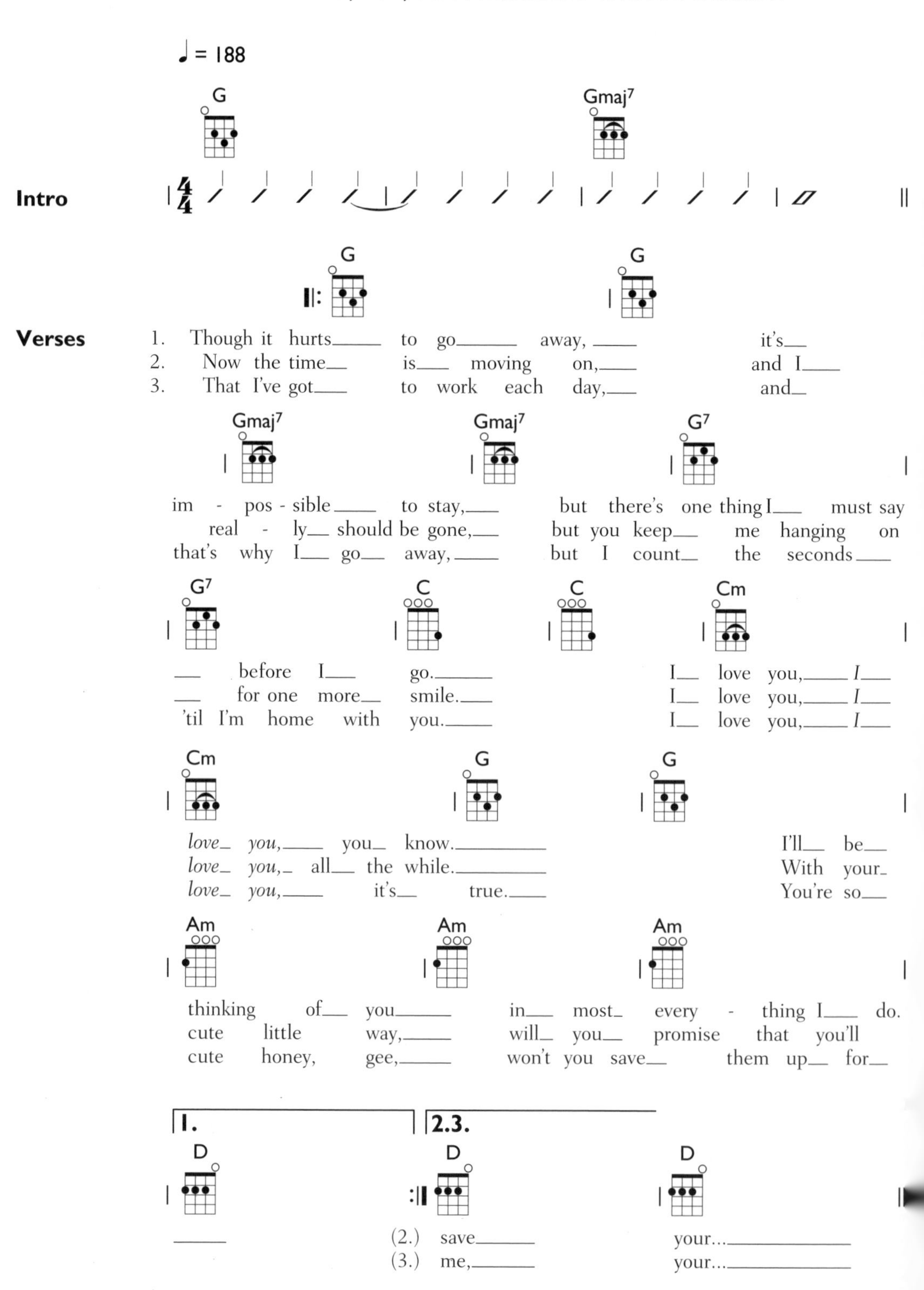
♩ = 188
G
Gmaj7
Intro
G
G
Verses
1. Though it hurts to go away, it's
2. Now the time is moving on, and I
3. That I've got to work each day, and
Gmaj7
Gmaj7
G7
im - pos - sible to stay, but there's one thing I must say
real - ly should be gone, but you keep me hanging on
that's why I go away, but I count the seconds
G7
C
C
Cm
before I go. I love you, I
for one more smile. I love you, I
'til I'm home with you. I love you, I
Cm
G
G
love you, you know. I'll be
love you, all the while. With your
love you, it's true. You're so
Am
Am
Am
thinking of you in most every - thing I do.
cute little way, will you promise that you'll
cute honey, gee, won't you save them up for
1.
2.3.
D
D
D
(2.) save your...
(3.) me, your...

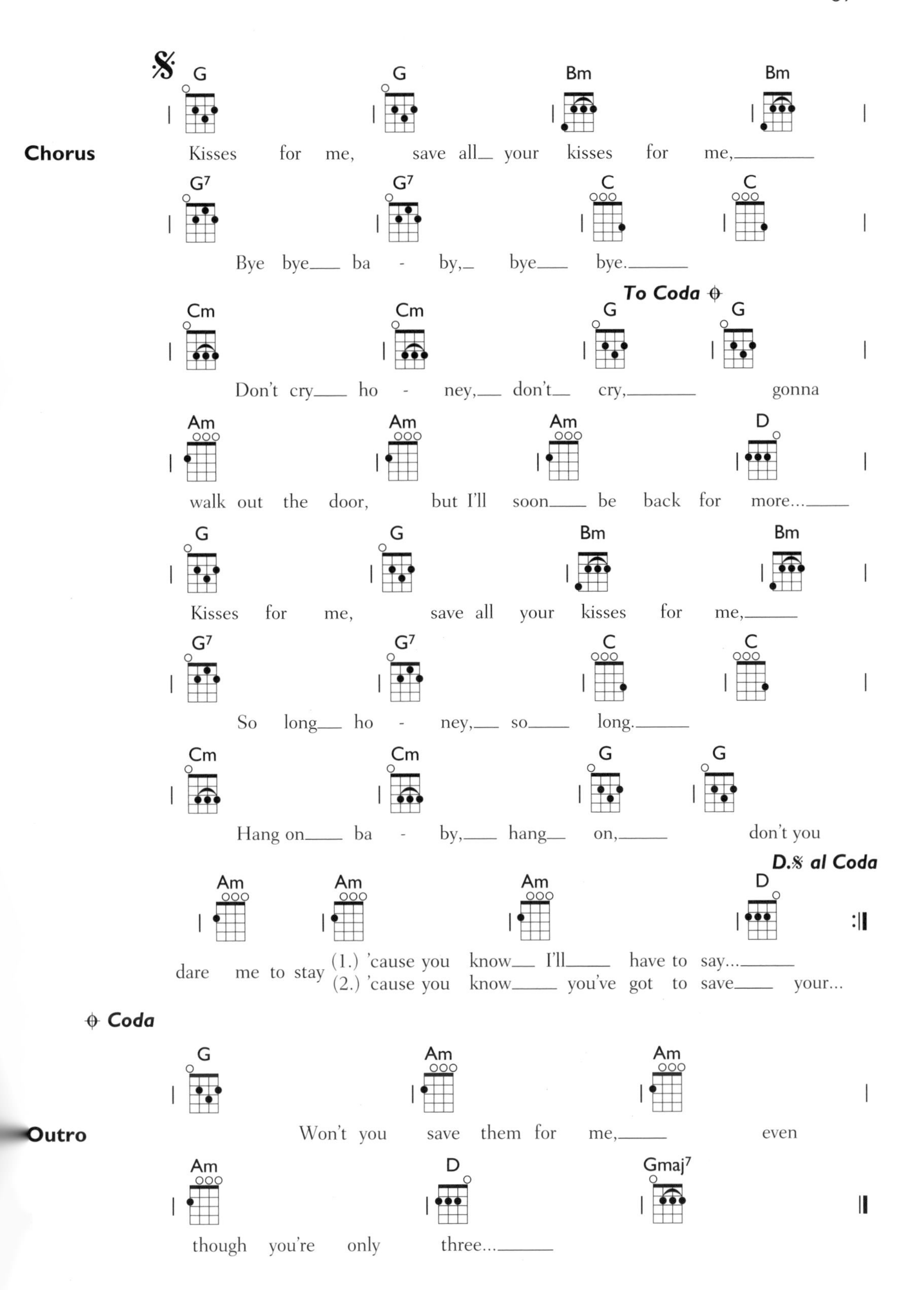
Chorus
G G Bm Bm
Kisses for me, save all your kisses for me,
G7 G7 C C
Bye bye ba - by, bye bye.
To Coda
Cm Cm G G
Don't cry ho - ney, don't cry, gonna
Am Am Am D
walk out the door, but I'll soon be back for more...
G G Bm Bm
Kisses for me, save all your kisses for me,
G7 G7 C C
So long ho - ney, so long.
Cm Cm G G
Hang on ba - by, hang on, don't you
D.S al Coda
Am Am Am D
dare me to stay (1.) 'cause you know I'll have to say...
(2.) 'cause you know you've got to save your...
Coda
G Am Am
Outro
Won't you save them for me, even
Am D Gmaj7
though you're only three...

SLOOP JOHN B

Words and Music by Brian Wilson

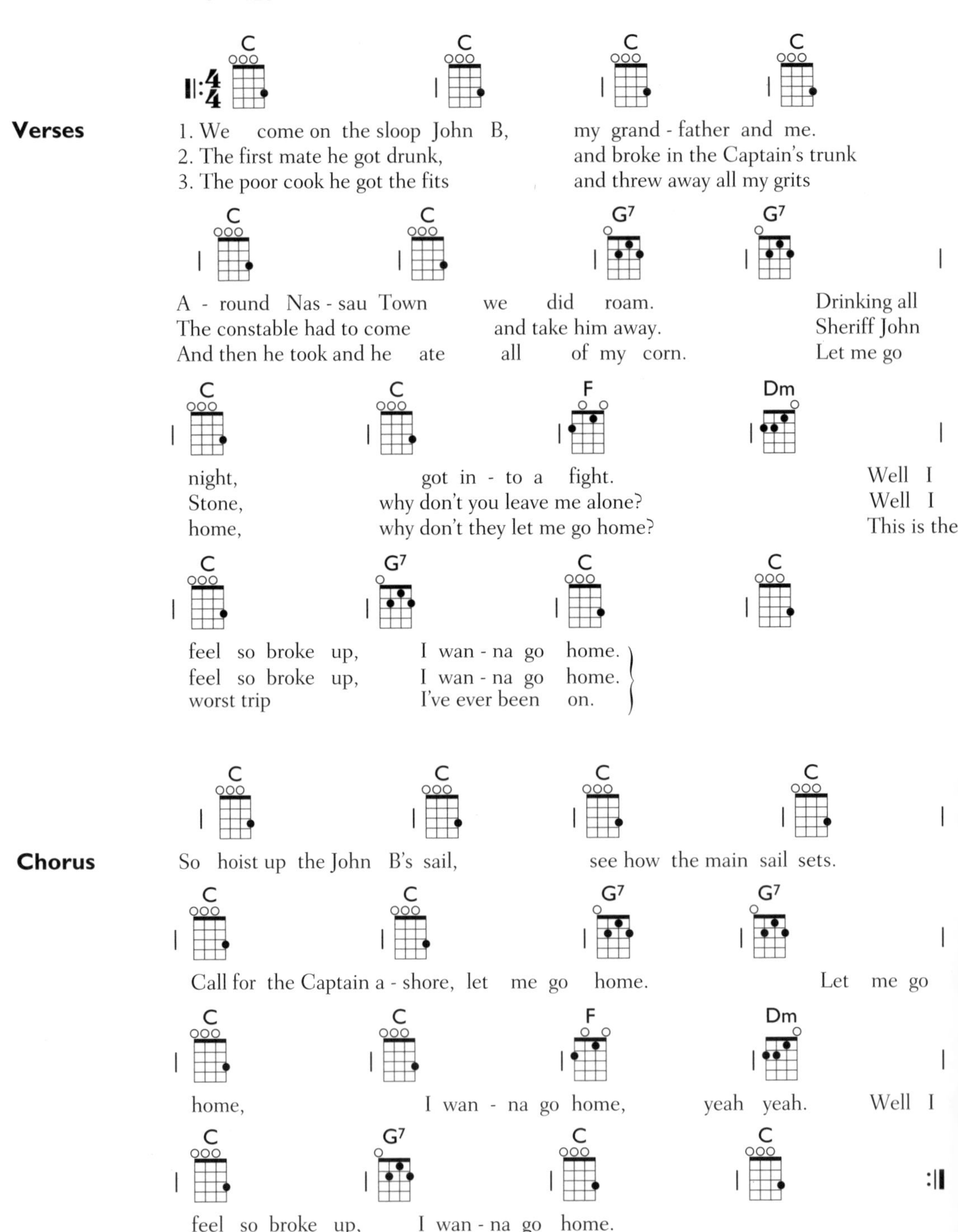
♩ = 125
C C C C
Verses
1. We come on the sloop John B, my grand - father and me.
2. The first mate he got drunk, and broke in the Captain's trunk
3. The poor cook he got the fits and threw away all my grits
C C G7 G7
A - round Nas - sau Town we did roam. Drinking all
The constable had to come and take him away. Sheriff John
And then he took and he ate all of my corn. Let me go
C C F Dm
night, got in - to a fight. Well I
Stone, why don't you leave me alone? Well I
home, why don't they let me go home? This is the
C G7 C C
feel so broke up, I wan - na go home.
feel so broke up, I wan - na go home.
worst trip I've ever been on.
C C C C
Chorus
So hoist up the John B's sail, see how the main sail sets.
C C G7 G7
Call for the Captain a - shore, let me go home. Let me go
C C F Dm
home, I wan - na go home, yeah yeah. Well I
C G7 C C
feel so broke up, I wan - na go home.

THIS OLE HOUSE

Words and Music by Stuart Hamblen

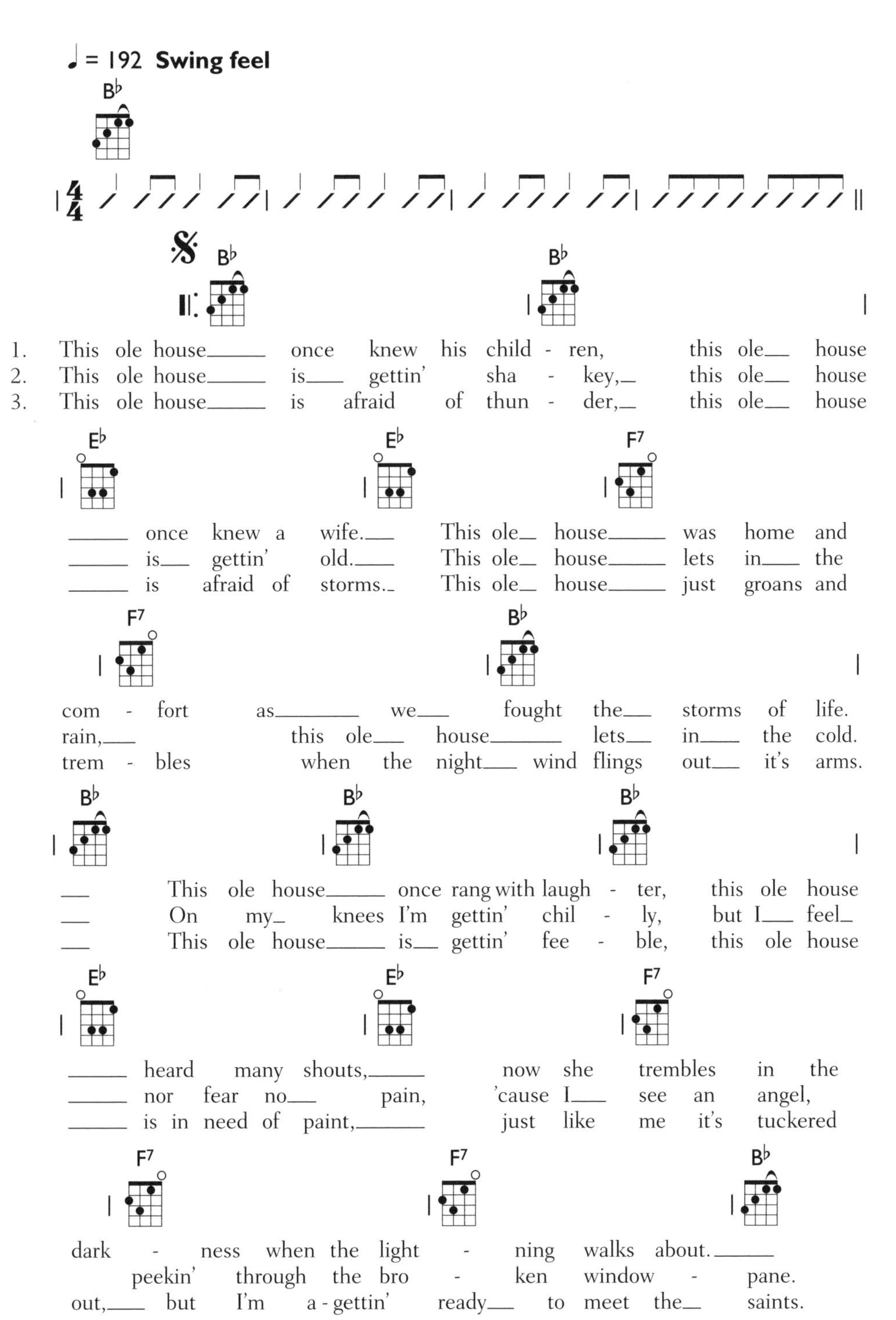

♩ = 192 Swing feel
B♭
Intro
B♭ E♭ F7
Verses
1. This ole house once knew his child - ren, this ole house once knew a wife. This ole house was home and com - fort as we fought the storms of life.
2. This ole house is gettin' sha - key, this ole house is gettin' old. This ole house lets in the rain, this ole house lets in the cold.
3. This ole house is afraid of thun - der, this ole house is afraid of storms. This ole house just groans and trem - bles when the night wind flings out it's arms.
This ole house once rang with laugh - ter, this ole house heard many shouts, now she trembles in the dark - ness when the light - ning walks about.
On my knees I'm gettin' chil - ly, but I feel nor fear no pain, 'cause I see an angel, peekin' through the bro - ken window - pane.
This ole house is gettin' fee - ble, this ole house is in need of paint, just like me it's tuckered out, but I'm a - gettin' ready to meet the saints.

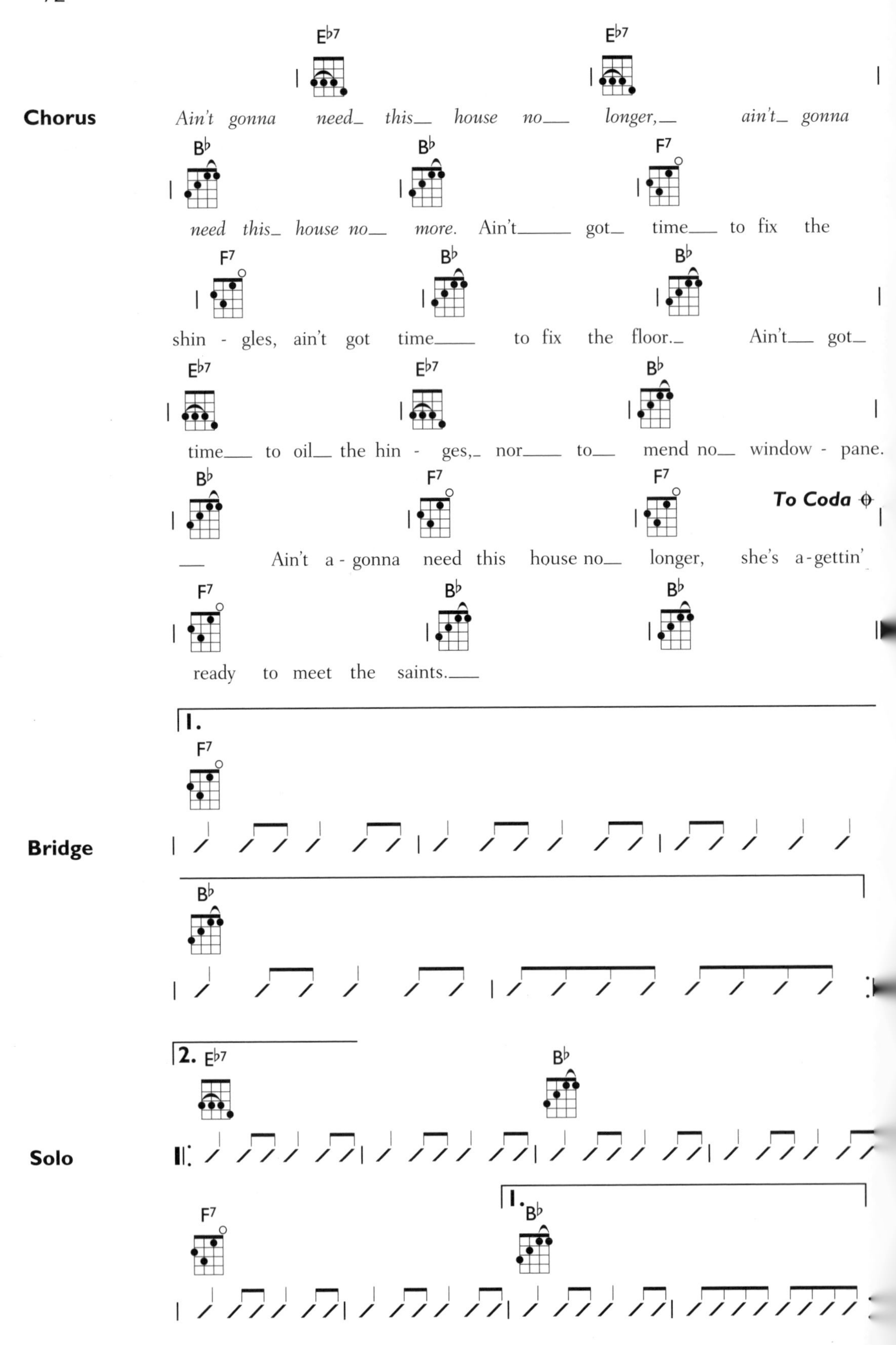
Chorus
E♭7 E♭7
Ain't gonna need this house no longer, ain't gonna
B♭ B♭ F7
need this house no more. Ain't got time to fix the
F7 B♭ B♭
shin - gles, ain't got time to fix the floor. Ain't got
E♭7 E♭7 B♭
time to oil the hin - ges, nor to mend no window - pane.
B♭ F7 F7
To Coda
Ain't a - gonna need this house no longer, she's a - gettin'
F7 B♭ B♭
ready to meet the saints.
1.
F7
Bridge
B♭
2. E♭7
B♭
Solo
F7
1. B♭

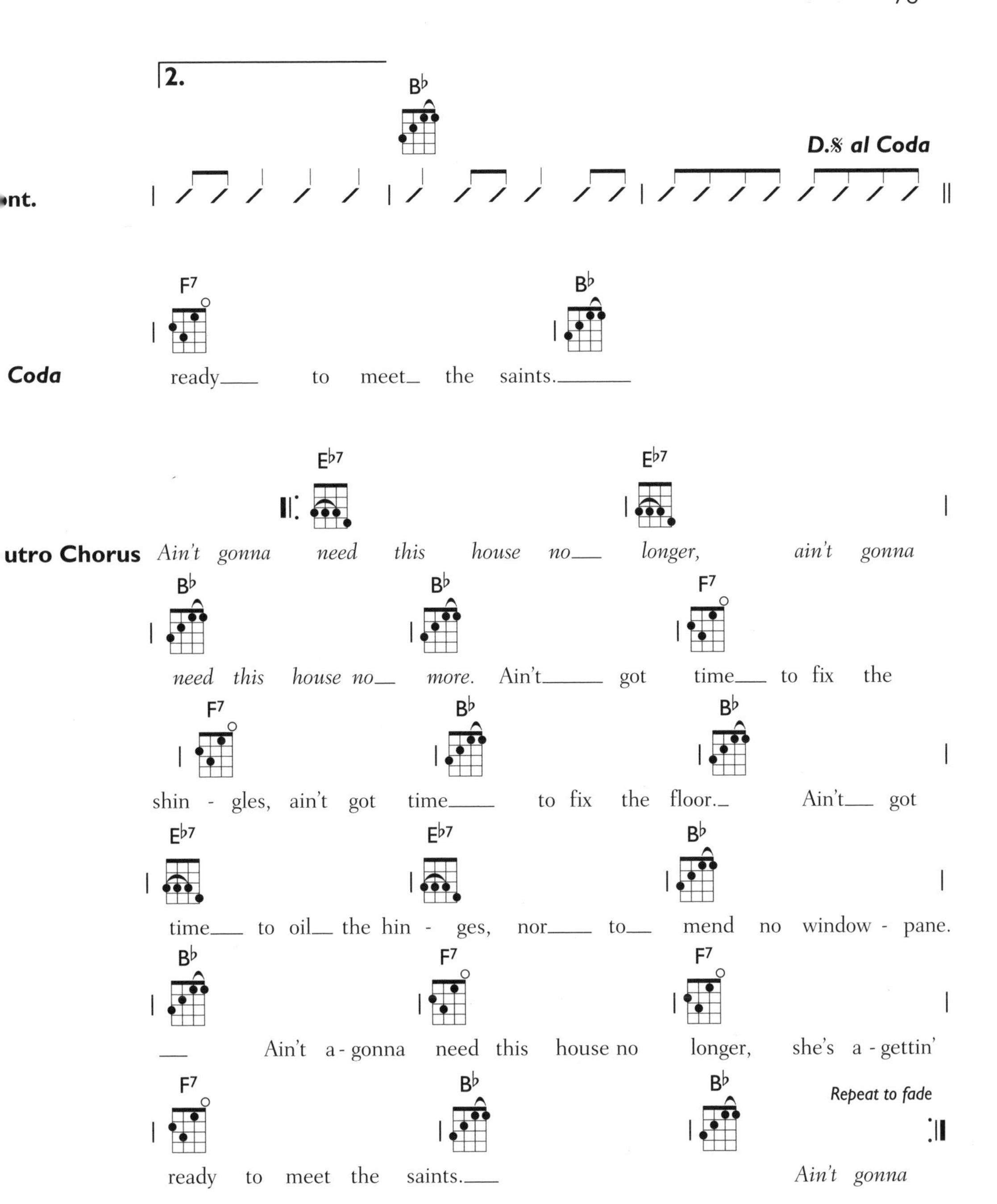
2.
B♭
D.𝄋 al Coda
nt.
F7
B♭
Coda
ready to meet the saints.
E♭7
E♭7
utro Chorus
Ain't gonna need this house no longer, ain't gonna
B♭
B♭
F7
need this house no more. Ain't got time to fix the
F7
B♭
B♭
shin - gles, ain't got time to fix the floor. Ain't got
E♭7
E♭7
B♭
time to oil the hin - ges, nor to mend no window - pane.
B♭
F7
F7
Ain't a - gonna need this house no longer, she's a - gettin'
F7
B♭
B♭
Repeat to fade
ready to meet the saints.
Ain't gonna

TEENAGE DIRTBAG

Words and Music by Brendan Brown

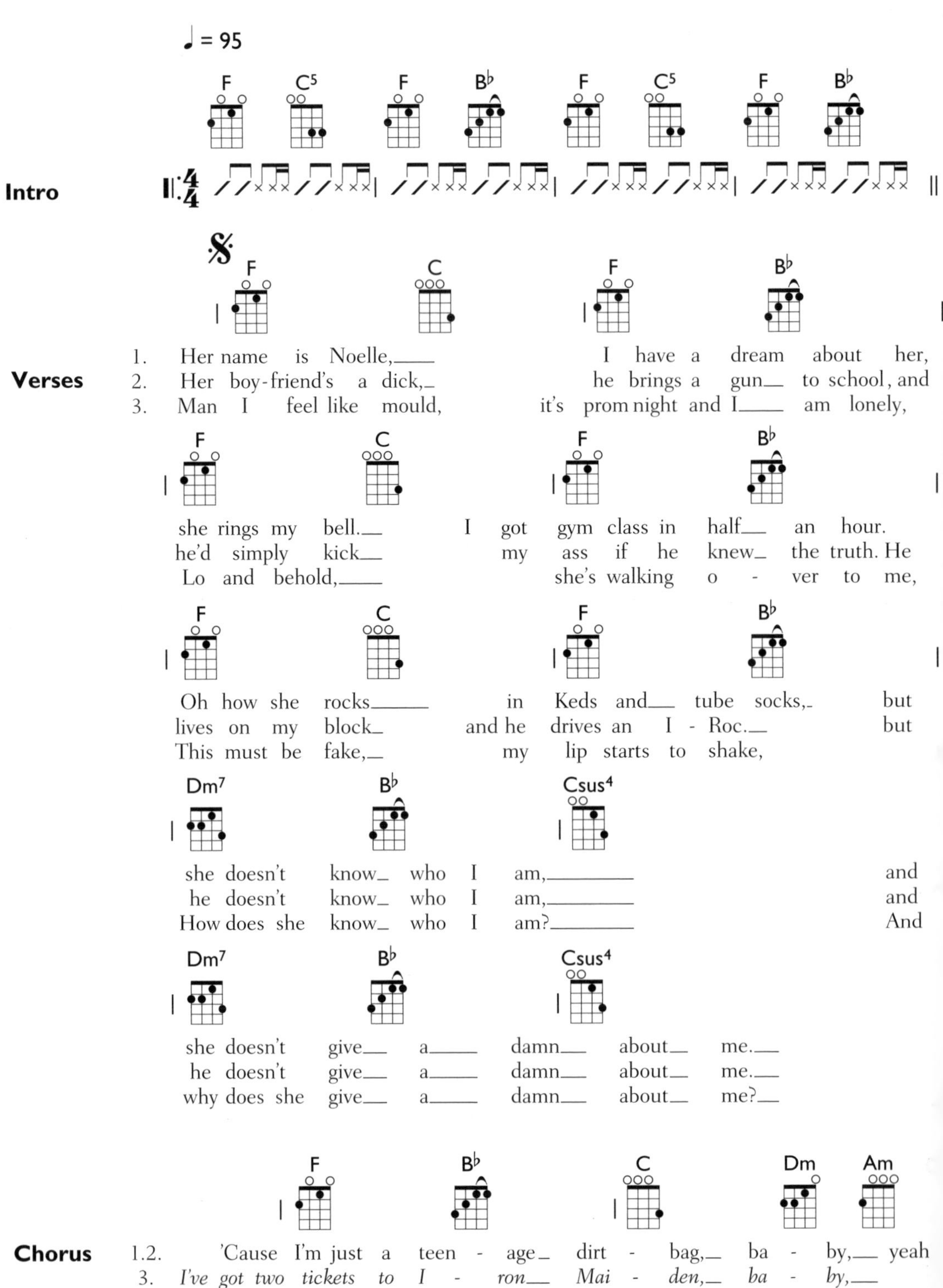
♩ = 95
F C5 F B♭ F C5 F B♭
Intro
F C F B♭
Verses
1. Her name is Noelle, I have a dream about her,
2. Her boy-friend's a dick, he brings a gun to school, and
3. Man I feel like mould, it's prom night and I am lonely,
F C F B♭
she rings my bell. I got gym class in half an hour.
he'd simply kick my ass if he knew the truth. He
Lo and behold, she's walking o - ver to me,
F C F B♭
Oh how she rocks in Keds and tube socks, but
lives on my block and he drives an I - Roc. but
This must be fake, my lip starts to shake,
Dm7 B♭ Csus4
she doesn't know who I am, and
he doesn't know who I am, and
How does she know who I am? And
Dm7 B♭ Csus4
she doesn't give a damn about me.
he doesn't give a damn about me.
why does she give a damn about me?
F B♭ C Dm Am
Chorus
1.2. 'Cause I'm just a teen - age dirt - bag, ba - by, yeah
3. I've got two tickets to I - ron Mai - den, ba - by,

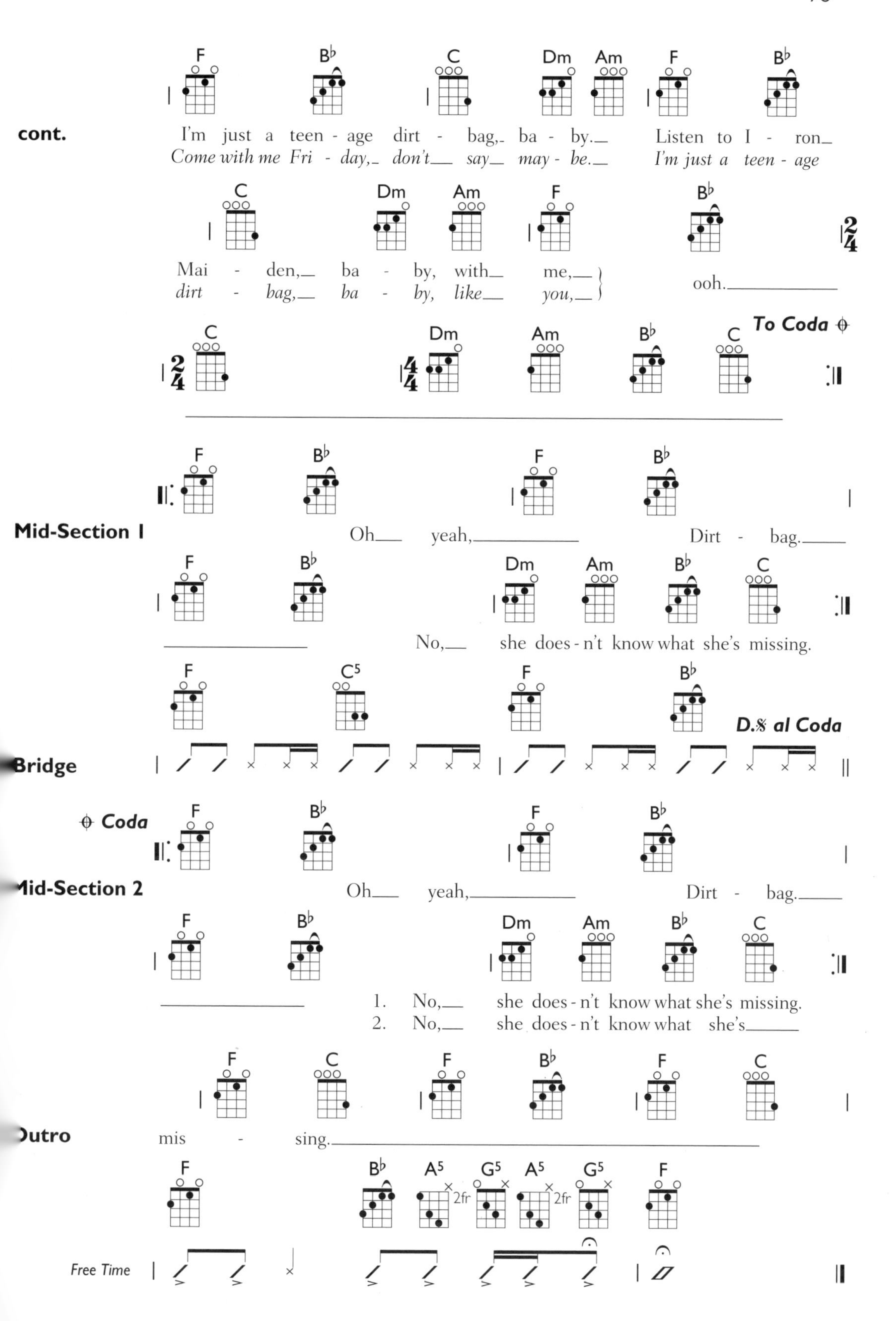
cont.
F
B♭
C
Dm
Am
I'm just a teen - age dirt - bag, ba - by. Listen to I - ron
Come with me Fri - day, don't say may - be. I'm just a teen - age
Mai - den, ba - by, with me,
dirt - bag, ba - by, like you,
ooh.
To Coda
Mid-Section 1
Oh yeah, Dirt - bag.
No, she does - n't know what she's missing.
C5
D.% al Coda
Bridge
Coda
Mid-Section 2
Oh yeah, Dirt - bag.
1. No, she does - n't know what she's missing.
2. No, she does - n't know what she's
Outro
mis - sing.
A5
G5
2fr
Free Time

UMBRELLA

Words and Music by Christopher Stewart, Shawn Carter,
Terius Nash and Thaddis Harrell

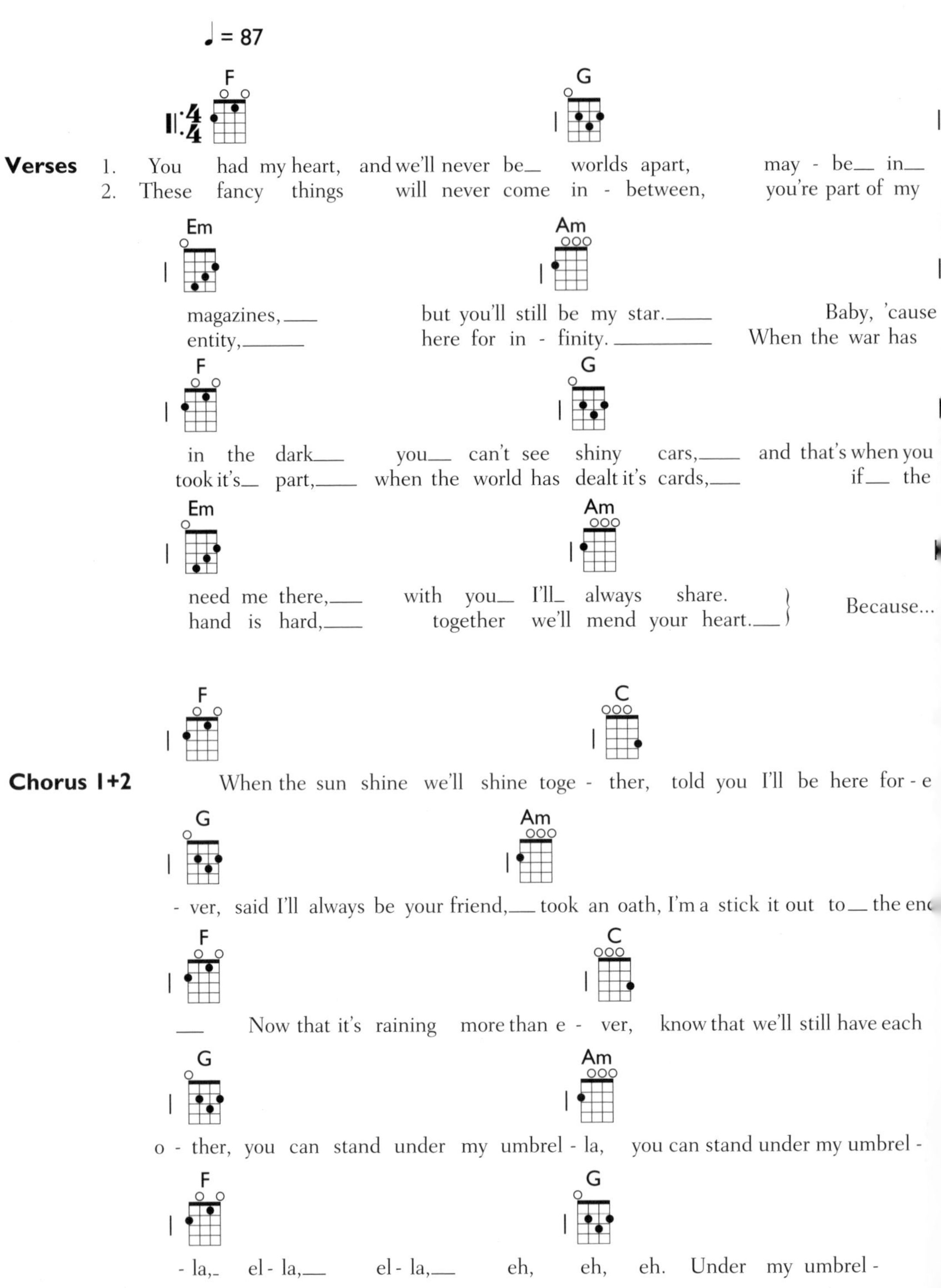
♩ = 87
F
G
Verses
1. You had my heart, and we'll never be worlds apart, may - be in
2. These fancy things will never come in - between, you're part of my
Em
Am
magazines, but you'll still be my star. Baby, 'cause
entity, here for in - finity. When the war has
F
G
in the dark you can't see shiny cars, and that's when you
took it's part, when the world has dealt it's cards, if the
Em
Am
need me there, with you I'll always share.
hand is hard, together we'll mend your heart.
Because...
F
C
Chorus 1+2
When the sun shine we'll shine toge - ther, told you I'll be here for - e
G
Am
- ver, said I'll always be your friend, took an oath, I'm a stick it out to the end
F
C
Now that it's raining more than e - ver, know that we'll still have each
G
Am
o - ther, you can stand under my umbrel - la, you can stand under my umbrel -
F
G
- la, el - la, el - la, eh, eh, eh. Under my umbrel -

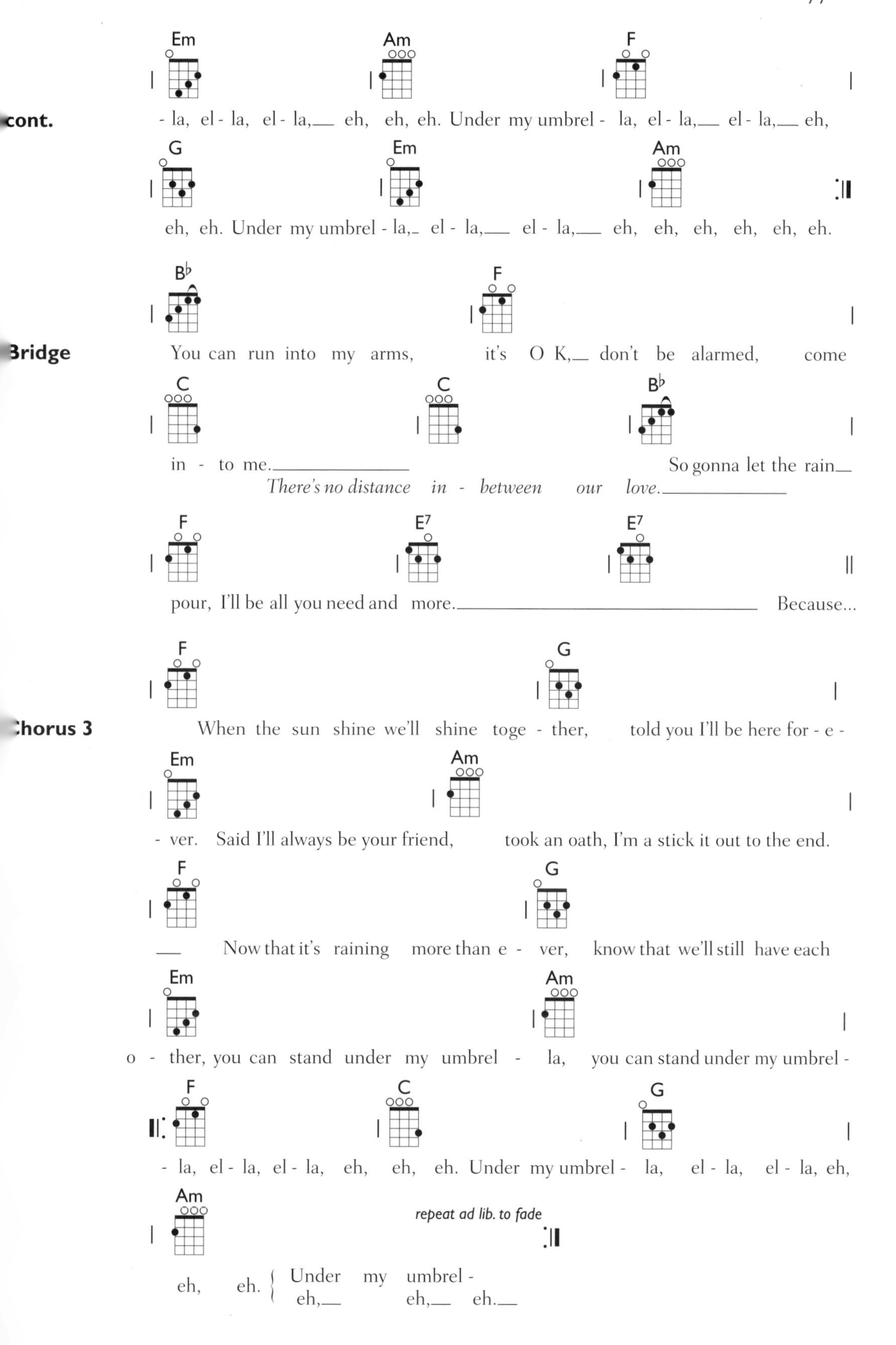
Em
Am
F
cont.
- la, el - la, el - la,__ eh, eh, eh. Under my umbrel - la, el - la,__ el - la,__ eh,
G
Em
Am
eh, eh. Under my umbrel - la,_ el - la,__ el - la,__ eh, eh, eh, eh, eh, eh.
B♭
F
Bridge
You can run into my arms, it's O K,__ don't be alarmed, come
C
C
B♭
in - to me.________ So gonna let the rain__
There's no distance in - between our love.________
F
E7
E7
pour, I'll be all you need and more.________ Because...
F
G
Chorus 3
When the sun shine we'll shine toge - ther, told you I'll be here for - e -
Em
Am
- ver. Said I'll always be your friend, took an oath, I'm a stick it out to the end.
F
G
__ Now that it's raining more than e - ver, know that we'll still have each
Em
Am
o - ther, you can stand under my umbrel - la, you can stand under my umbrel -
F
C
G
- la, el - la, el - la, eh, eh, eh. Under my umbrel - la, el - la, el - la, eh,
Am
repeat ad lib. to fade
eh, eh. Under my umbrel -
eh,__ eh,__ eh.__

WATERLOO SUNSET

Words and Music by Ray Davies

♩ = 106
C
Intro
F
C
B♭
F
C
Verses
1. Dirty old ri - ver, must you keep rol - ling, flowing into
2. Terry meets Ju - lie, Waterloo sta - tion every
3. Millions of peo - ple swar-ming like flies 'round Waterloo
B♭
B♭
F
the night. People so bu - sy, makes me feel
Fri - day night. But I am so la - zy, don't want to
un - der - ground. But Terry and Ju - lie cross over the
C
B♭
B♭
diz - zy, taxi light shines so bright. But I don't
wan - der, I stay at home at night. But I don't
ri - ver where they feel safe and sound. And they don't
Gm
D
Gm7
need no friends,
feel afraid,
need no friends,

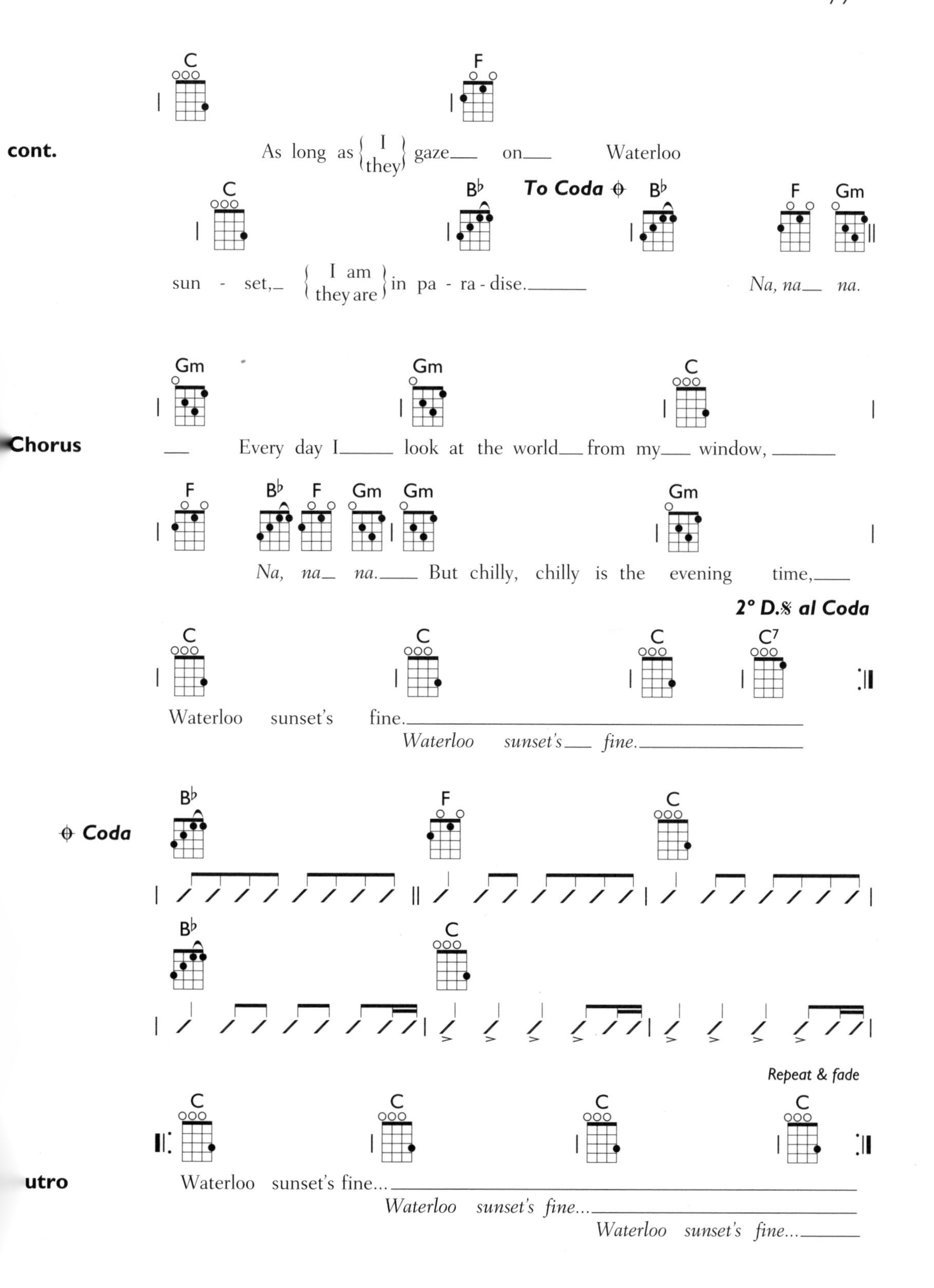
cont.
C F
As long as { I / they } gaze on Waterloo
C B♭ To Coda ⊕ B♭ F Gm
sun - set, { I am / they are } in pa - ra - dise.
Na, na na.
Chorus
Gm Gm C
Every day I look at the world from my window,
F B♭ F Gm Gm Gm
Na, na na. But chilly, chilly is the evening time,
2° D.𝄋 al Coda
C C C C7
Waterloo sunset's fine.
Waterloo sunset's fine.
⊕ Coda
B♭ F C
B♭ C
Repeat & fade
C C C C
utro
Waterloo sunset's fine...
Waterloo sunset's fine...
Waterloo sunset's fine...

WHATEVER

Words by Noel Gallagher
Music by Noel Gallagher and Neil Innes

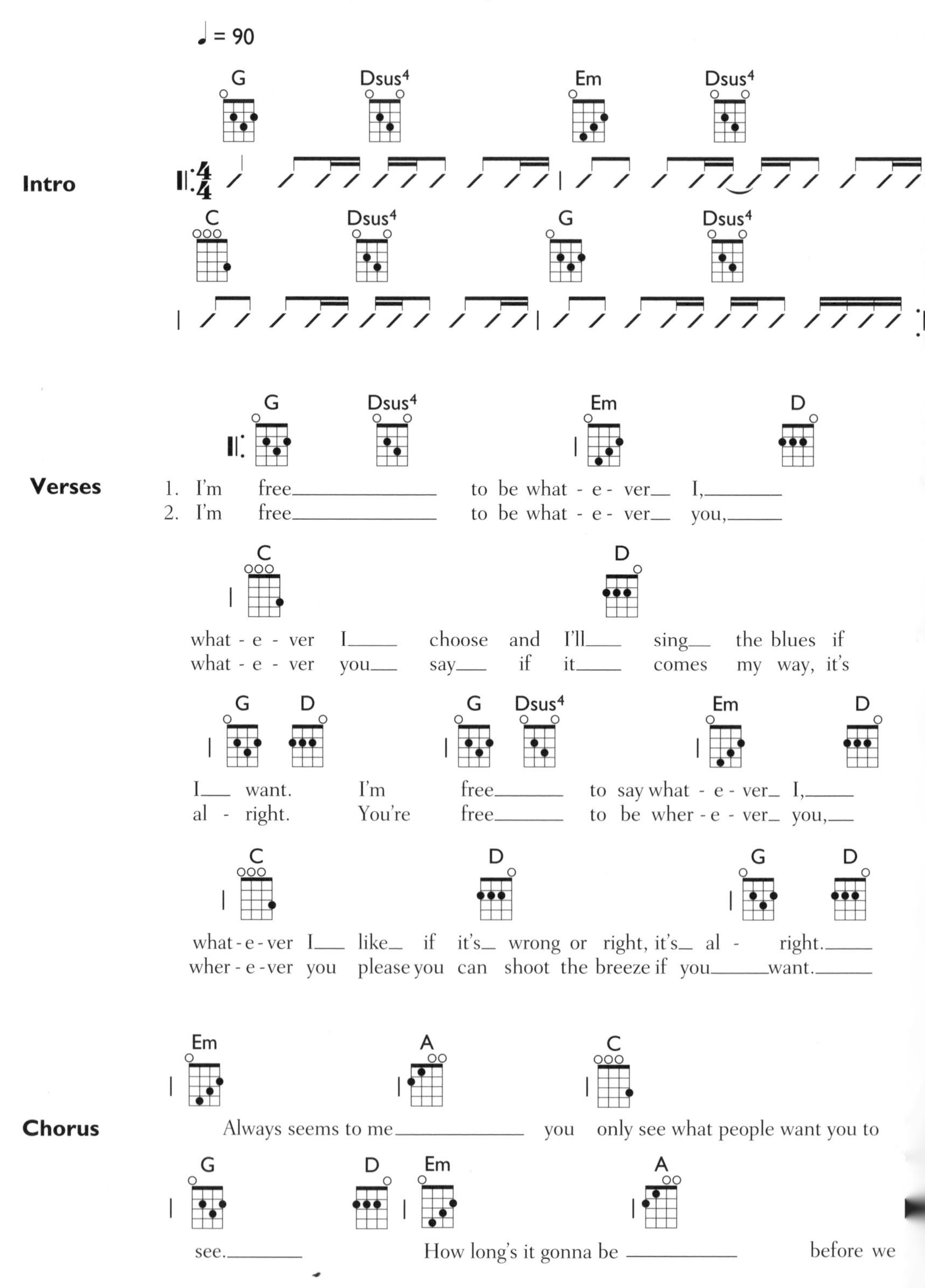
♩ = 90
G Dsus4 Em Dsus4
Intro
C Dsus4 G Dsus4
G Dsus4 Em D
Verses
1. I'm free to be what - e - ver I,
2. I'm free to be what - e - ver you,
C D
what - e - ver I choose and I'll sing the blues if
what - e - ver you say if it comes my way, it's
G D G Dsus4 Em D
I want. I'm free to say what - e - ver I,
al - right. You're free to be wher - e - ver you,
C D G D
what - e - ver I like if it's wrong or right, it's al - right.
wher - e - ver you please you can shoot the breeze if you want.
Em A C
Chorus
Always seems to me you only see what people want you to
G D Em A
see. How long's it gonna be before we

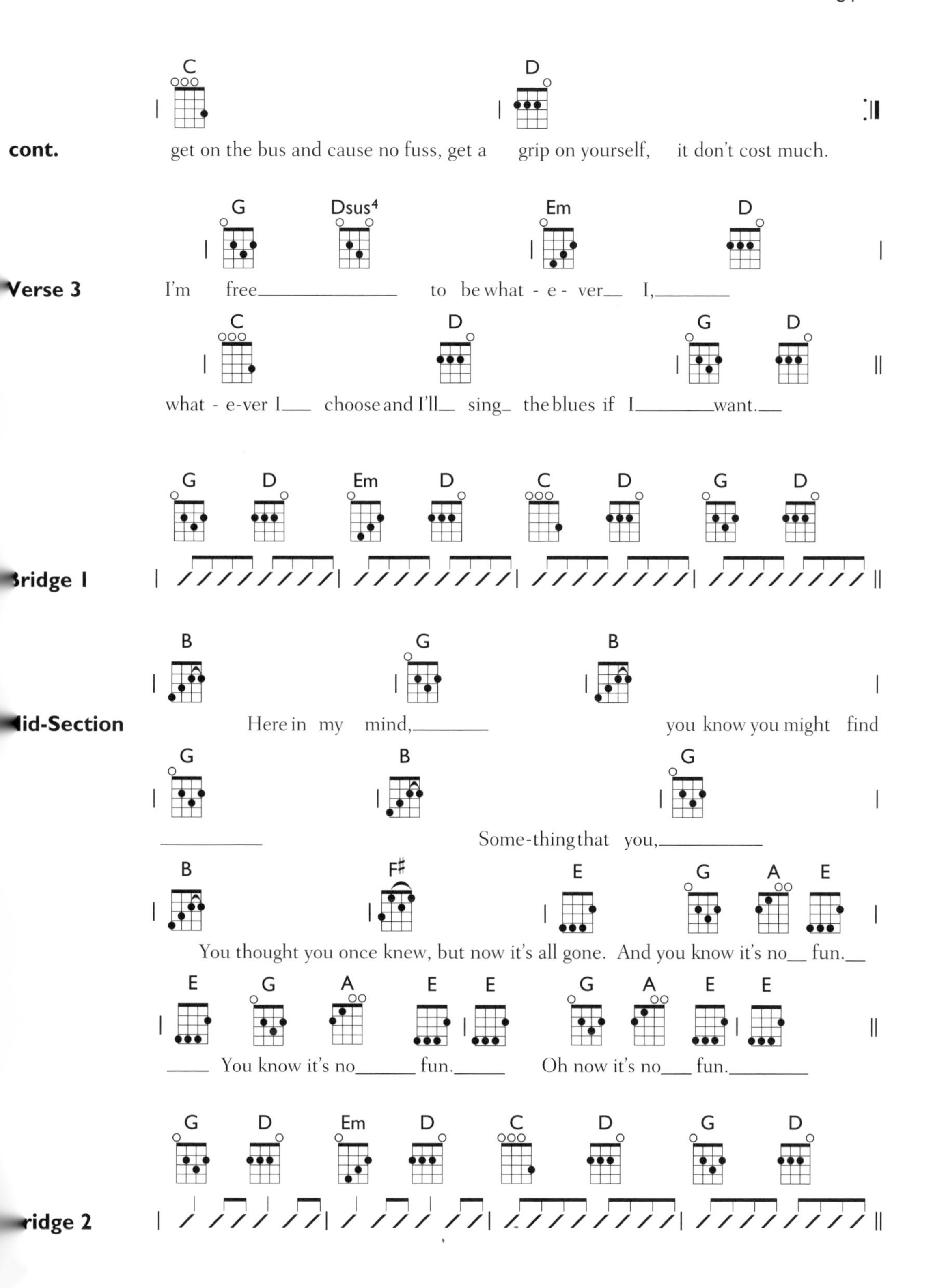
C D
cont.
get on the bus and cause no fuss, get a grip on yourself, it don't cost much.
G Dsus4 Em D
Verse 3
I'm free____ to be what - e - ver__ I,____
C D G D
what - e-ver I__ choose and I'll__ sing_ the blues if I____want.__
G D Em D C D G D
Bridge 1
B G B
Mid-Section
Here in my mind,____ you know you might find
G B G
Some-thing that you,____
B F♯ E G A E
You thought you once knew, but now it's all gone. And you know it's no__ fun.__
E G A E E G A E E
__ You know it's no____ fun.____ Oh now it's no___ fun.____
G D Em D C D G D
Bridge 2

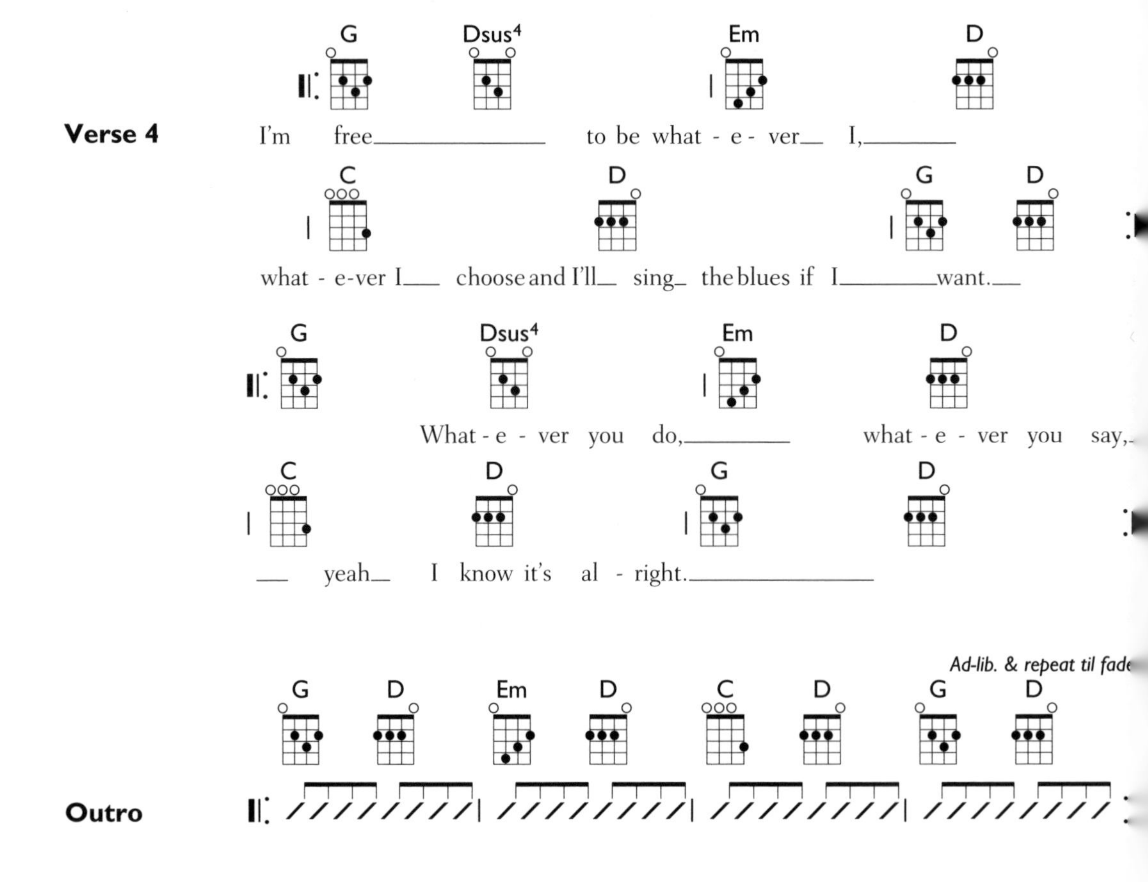
Verse 4
G Dsus4 Em D
I'm free to be what - e - ver I,
C D G D
what - e-ver I choose and I'll sing the blues if I want.
G Dsus4 Em D
What - e - ver you do, what - e - ver you say,
C D G D
yeah I know it's al - right.
Ad-lib. & repeat til fade
G D Em D C D G D
Outro

WUTHERING HEIGHTS

Words and Music by Kate Bush

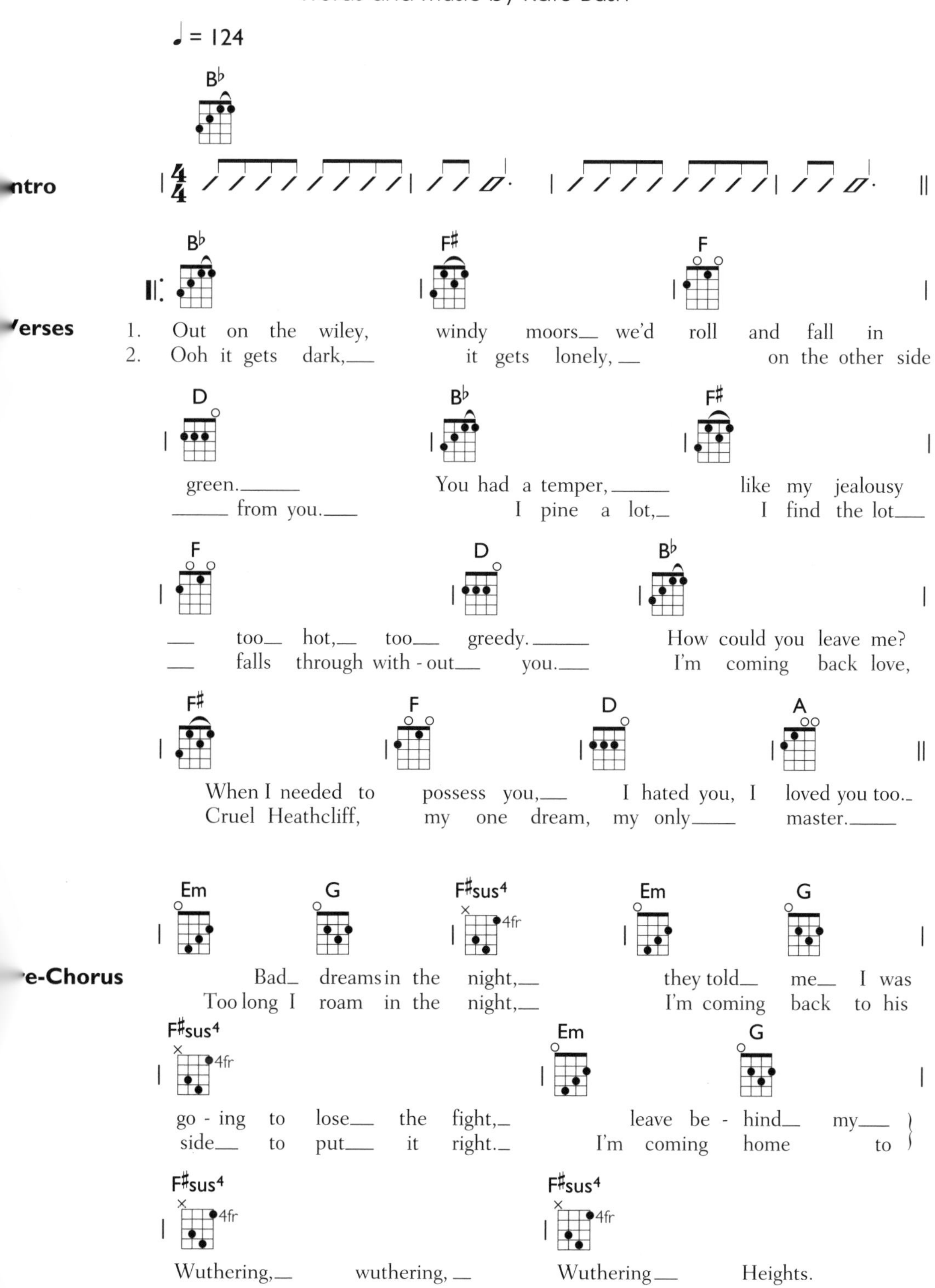
♩ = 124
B♭
ntro
4/4
B♭
F♯
F
erses
1. Out on the wiley, windy moors we'd roll and fall in
2. Ooh it gets dark, it gets lonely, on the other side
D
B♭
F♯
green. You had a temper, like my jealousy
from you. I pine a lot, I find the lot
F
D
B♭
too hot, too greedy. How could you leave me?
falls through with - out you. I'm coming back love,
F♯
F
D
A
When I needed to possess you, I hated you, I loved you too.
Cruel Heathcliff, my one dream, my only master.
Em
G
F♯sus4
4fr
Em
G
e-Chorus
Bad dreams in the night, they told me I was
Too long I roam in the night, I'm coming back to his
F♯sus4
4fr
Em
G
go - ing to lose the fight, leave be - hind my
side to put it right. I'm coming home to
F♯sus4
4fr
F♯sus4
4fr
Wuthering, wuthering, Wuthering Heights.

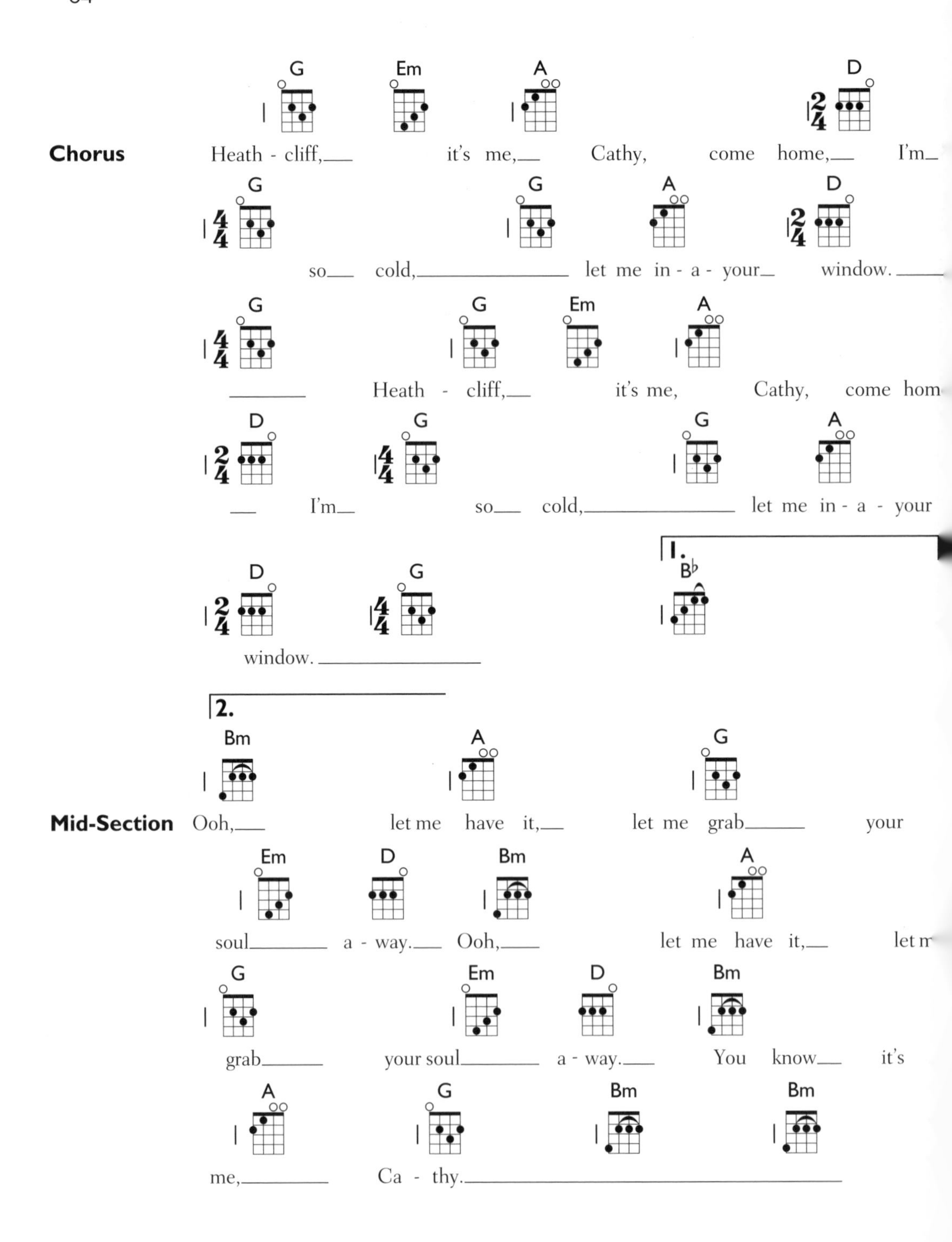
Chorus
G Em A D
2/4
Heath - cliff, it's me, Cathy, come home, I'm
4/4
G G A D
2/4
so cold, let me in - a - your window.
4/4
G G Em A
Heath - cliff, it's me, Cathy, come hom
2/4
D
4/4
G G A
I'm so cold, let me in - a - your
2/4
D
4/4
G
1.
B♭
window.
2.
Bm A G
Mid-Section
Ooh, let me have it, let me grab your
Em D Bm A
soul a - way. Ooh, let me have it, let m
G Em D Bm
grab your soul a - way. You know it's
A G Bm Bm
me, Ca - thy.

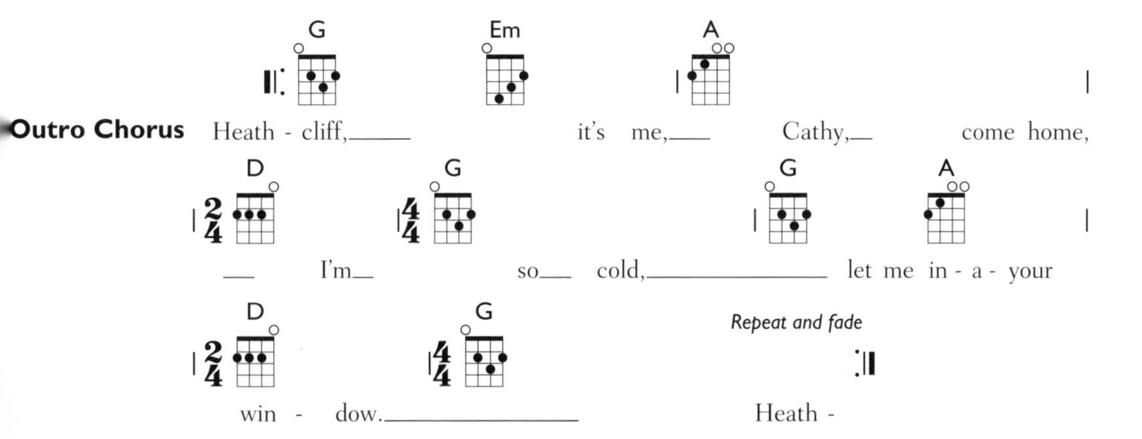
G
Em
A
Outro Chorus
Heath - cliff,
it's me,
Cathy,
come home,
D
G
G
A
I'm
so
cold,
let me in - a - your
D
G
Repeat and fade
win - dow.
Heath -

YOU'VE GOT A FRIEND

Words and Music by Carole King

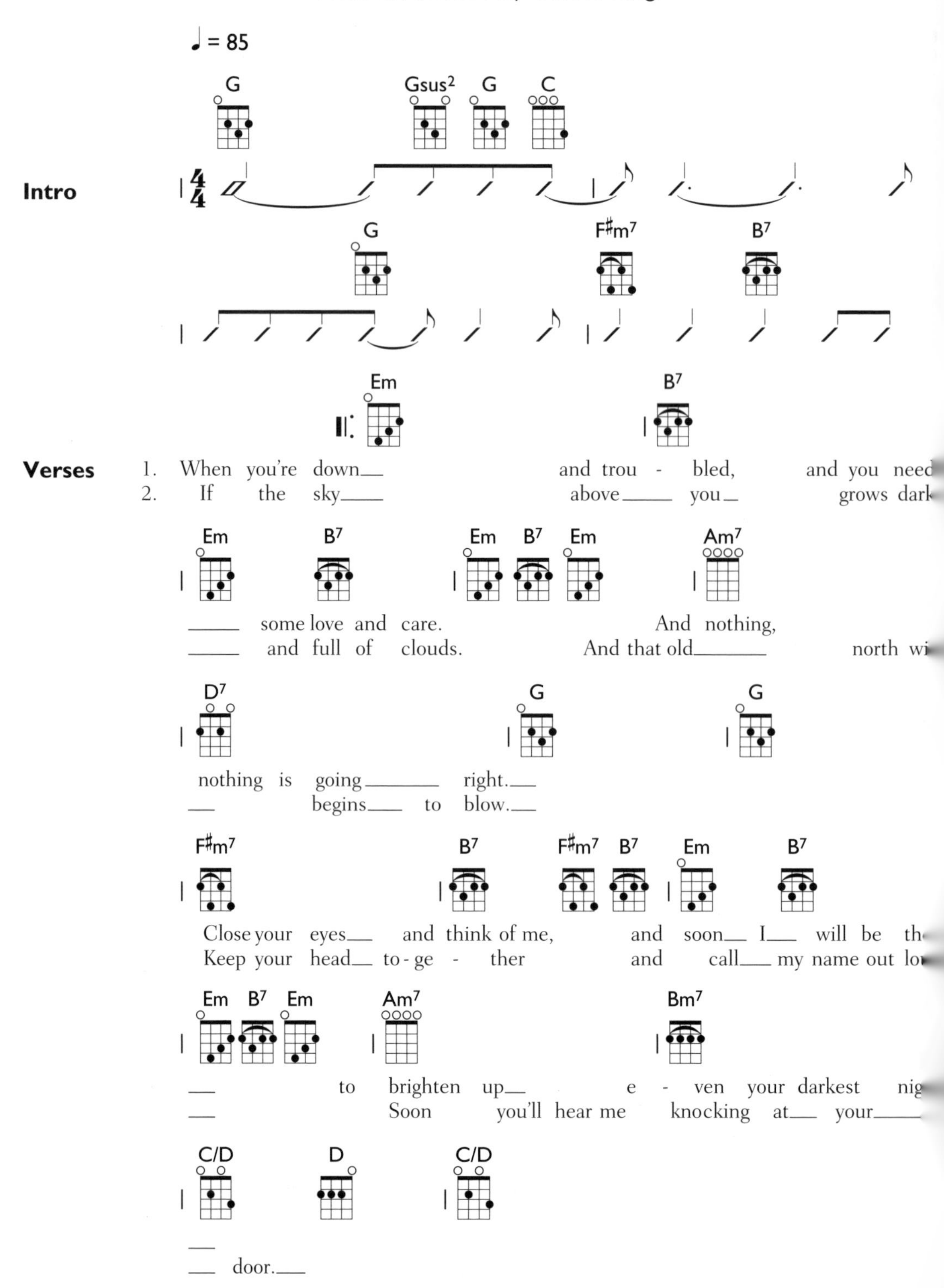
♩ = 85
G Gsus2 G C
Intro
G F♯m7 B7
Em B7
Verses
1. When you're down___ and trou - bled, and you need
2. If the sky___ above___ you_ grows dark
Em B7 Em B7 Em Am7
___ some love and care. And nothing,
___ and full of clouds. And that old___ north wi
D7 G G
nothing is going___ right.__
__ begins__ to blow.__
F♯m7 B7 F♯m7 B7 Em B7
Close your eyes__ and think of me, and soon__ I__ will be th
Keep your head__ to-ge - ther and call__ my name out lo
Em B7 Em Am7 Bm7
__ to brighten up__ e - ven your darkest nig
__ Soon you'll hear me knocking at__ your___
C/D D C/D
__
__ door.__

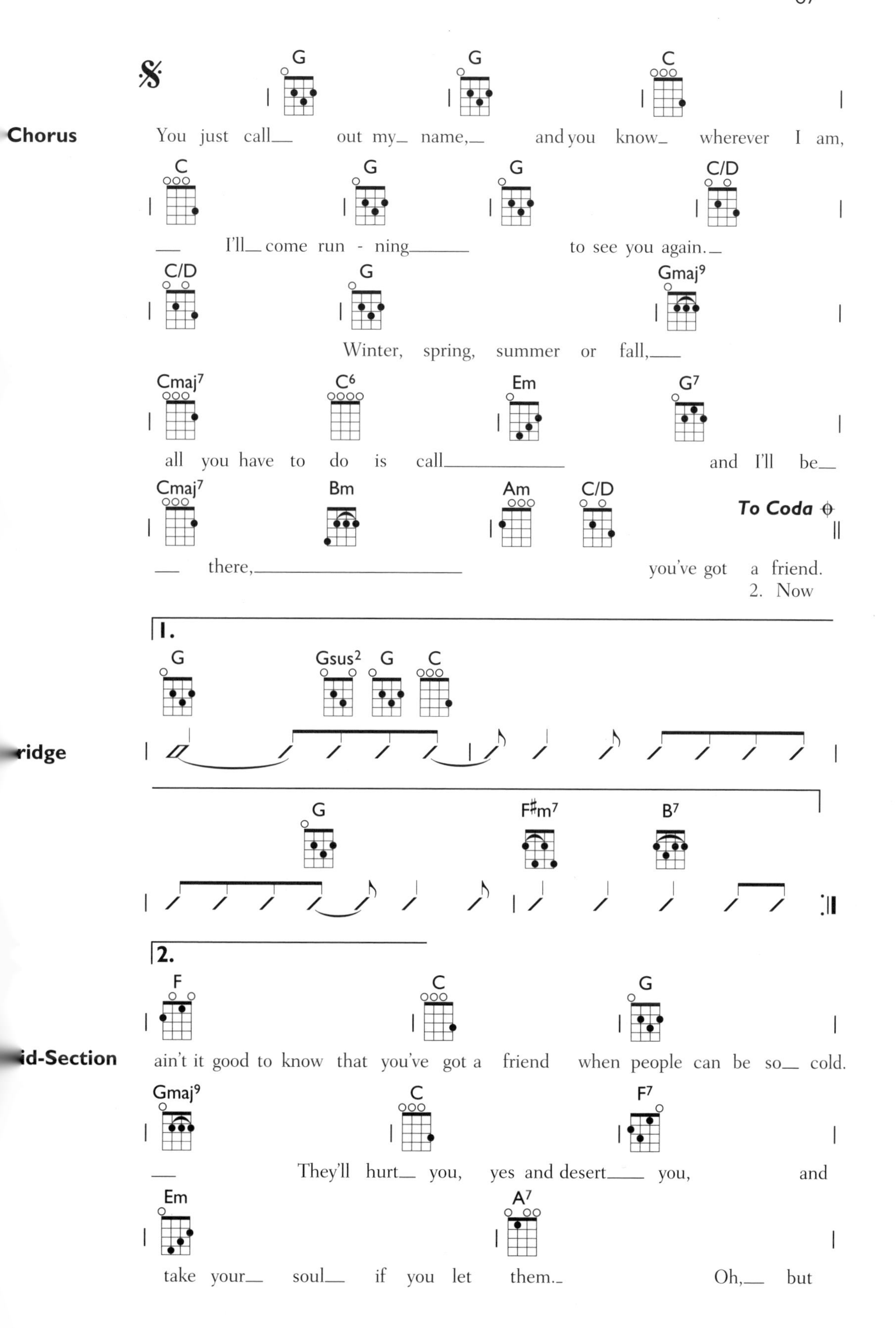

Chorus
G G C
You just call out my name, and you know wherever I am,
C G G C/D
I'll come run - ning to see you again.
C/D G Gmaj9
Winter, spring, summer or fall,
Cmaj7 C6 Em G7
all you have to do is call and I'll be
Cmaj7 Bm Am C/D
there, you've got a friend.
2. Now
To Coda
1.
G Gsus2 G C
ridge
G F♯m7 B7
2.
F C G
id-Section
ain't it good to know that you've got a friend when people can be so cold.
Gmaj9 C F7
They'll hurt you, yes and desert you, and
Em A7
take your soul if you let them. Oh, but

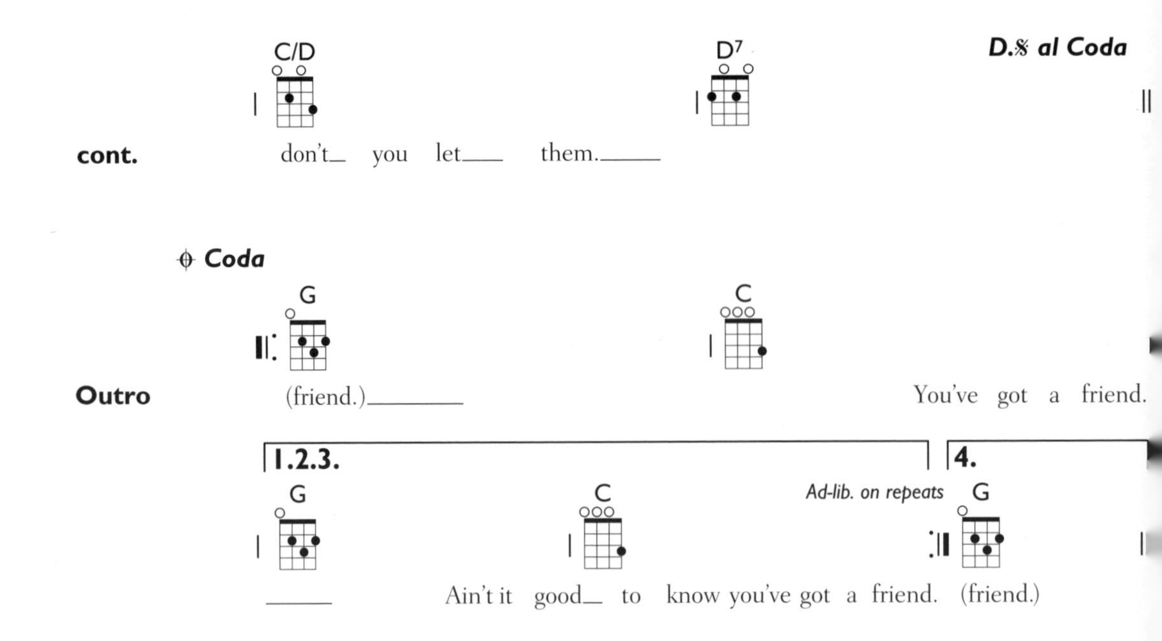
C/D
D7
D.𝄋 al Coda
cont.
don't_ you let_ them._
𝄌 Coda
G
C
Outro
(friend.)_
You've got a friend.
1.2.3.
4.
G
C
Ad-lib. on repeats
G
_
Ain't it good_ to know you've got a friend.
(friend.)